Michael Hingson com Susy Flory

CB141925

Adorável heroína

Universo dos Livros Editora Ltda.
Rua do Bosque, 1589 • 6º andar • Bloco 2 • Conj. 603/606
Barra Funda • CEP 01136-001 • São Paulo • SP
Telefone/Fax: (11) 3392-3336
www.universodoslivros.com.br
e-mail: editor@universodoslivros.com.br
Siga-nos no Twitter: @univdoslivros

Michael Hingson com Susy Flory

Adorável heroína

São Paulo
2012

UNIVERSO DOS LIVROS

Thunder Dog: The True Story of a Blind Man, His Guide Dog, and the Triumph of Trust at Ground Zero.
© **2011 by Michael Hingson**

All Rights Reserved. This Licensed Work published under license.

© **2012 by Universo dos Livros**
Todos os direitos reservados e protegidos pela Lei 9.610 de 19/02/1998.
Nenhuma parte deste livro, sem autorização prévia por escrito da editora, poderá ser reproduzida ou transmitida sejam quais forem os meios empregados: eletrônicos, mecânicos, fotográficos, gravação ou quaisquer outros.

Diretor editorial: **Luis Matos**
Editora-chefe: **Marcia Batista**
Assistentes editoriais: **Bóris Fatigati, Raíça Augusto e Raquel Nakasone**
Tradução: **Maurício Tamboni**
Preparação: **Melina Marin**
Revisão: **Leonardo Ortiz e Alice Nakasone**
Arte e adaptação de capa: **Camila Kodaira e Karine Barbosa**
Design de capa: **Dual Identity**
Imagem da capa: © **Steve Gardner, Pixelworks**

Dados Internacionais de Catalogação na Publicação (CIP)
(Câmara Brasileira do Livro, SP, Brasil)

H663t Hingson, Michael.

Adorável heroína / Michael Hingson e Susy Flory; [tradução de Maurício Tamboni]. – São Paulo : Universo dos Livros, 2012.

232 p.

Tradução de: Thunder Dog

ISBN 978-85-7930-317-3

1. Deficiência visual. 2. Não-ficção. 3. Ataques terroristas de 11 de setembro de 2001 (relatos pessoais).

I. Flory, Susy. II. Título.

CDD 636.7

Para Karen, minha melhor amiga, meu mundo, e a rocha que me manteve com os pés no chão depois do 11 de Setembro.

Para Hazel tenBroek. Hazel, nunca tive a oportunidade de encontrar Chick, mas, por meio de você e de suas histórias, passei a conhecer e a admirar esse homem e seus ensinamentos. Mesmo depois que os intelectuais acadêmicos disseram que ele não poderia estudar Direito por ser cego, Chick conseguiu se tornar um dos maiores estudiosos de Direito dos Estados Unidos. E pensar que ele colocou sua sabedoria para funcionar e fundou a National Federation of the Blind...

Eu só posso lhe agradecer por ter dividido a história dele comigo e com tantos outros ao longo dos últimos 25 anos.

— Michael

Para Gini Monroe, minha cowgirl, amiga e mentora preferida.

— Susy

Agradecimentos

Michael Hingson: Muitas pessoas – cegas e não cegas – possibilitaram a escrita deste livro por meio de seus envolvimentos em minha vida. São tantas pessoas, que é difícil saber por onde começar. Embora algumas delas sejam mencionadas ao longo do livro, outras merecem atenção especial.

Em primeiro lugar, Susy Flory, minha colega escritora, passou horas aprendendo sobre o mundo dos cegos para me ajudar a articular a história e poder apresentar uma imagem mais acurada do que realmente significa ser cego, algo muito diferente do estereótipo sustentado por muitas pessoas.

Quero agradecer aos meus pais, que empunharam suas armas e não deixaram a sociedade ditar as regras de como eles deveriam criar um filho. Sem a filosofia que eles me apresentaram, eu jamais teria sobrevivido e prosperado neste mundo cheiro de peculiaridades, que não entende que não há problema algum em ser diferente. Agradeço também ao meu pai pelas muitas horas de conversas estimulantes sobre espiritualidade, e por ler para mim os livros de Baird Spalding e outros tantos autores.

Quero agradecer a Richard Herboldsheimer, que conheci no segundo ano do ensino médio. Ele me mostrou que professores também são pessoas. Herbo, hoje você é uma inspiração tão forte para mim quanto foi em 1969. Carrego comigo sua força e sua disciplina.

Quero agradecer ao falecido doutor Fred Reines, meu orientador acadêmico. Doutor Reines, o senhor me ajudou a ver e a provar que os cegos podem, assim como qualquer outra pessoa, alcançar o sucesso nos estudos da Física. Fico feliz por o senhor finalmente ter recebido o Prêmio Nobel de Física – muito merecido, por sinal!

Obrigado aos três ótimos presidentes da National Federation of the Blind (NFB) – doutor Jacobus tenBroek, doutor Kenneth Jernigan e doutor Marc Maurer – pela inspiração e pela força demonstrada ao liderar a NFB e por ter ajudado tantos de nós a conquistar uma situação melhor.

Quero agradecer a Ginger Crowley pelo empenho em me ajudar a tornar-me um orador e um contador de histórias melhor.

Também gostaria de agradecer a Joanne Ritter, diretora de marketing e comunicação da Guide Dogs for the Blind e a seu parceiro no crime, Morry Angel, por terem tornado tudo isso possível, ao enxergarem o valor de contar minha história ao mundo no pós-11 de Setembro.

Quero agradecer a incalculável ajuda de todos aqueles que dedicaram seu tempo para serem entrevistados para este livro. Suas contribuições foram incríveis!

Obrigado a todos que leram e comentaram os rascunhos desta empreitada. Vocês melhoraram meu relato e me ensinaram muito.

Obrigado a Chip MacGregor, meu agente, que me guiou pelas confusões espalhadas no mundo editorial. Você é realmente um gênio e concordo com você: Mark Twain é o melhor autor americano, não resta dúvida.

Por fim, obrigado a Bryan Norman, Brian Hampton e a todo o pessoal maravilhoso da Thomas Nelson Publishers por me ouvirem e por terem aceitado investir neste projeto. Espero poder trabalhar com vocês novamente no futuro.

Susy Flory: Esse foi um ano louco. Na primavera de 2010, eu estava me recuperando do tratamento contra um câncer no seio – um tratamento que incluiu duas cirurgias, quimioterapia e radioterapia. Durante as semanas de radioterapia, comecei a trabalhar em *Dog Tales*, um livro de histórias reais e extraordinárias envolvendo cães. Um dos cachorros sobre os quais escrevi era Roselle. Quando enviei um e-mail para Mike, ele gentilmente aceitou ser entrevistado por telefone. Depois de vinte minutos falando ao telefone, eu tive calafrios.

– Você já pensou em escrever um livro? – perguntei.

Mike disse que sim, mas que também gostaria de encontrar um colaborador. Mais calafrios. Descobri que nós dois adorávamos viagens, livros e cães. E morávamos a menos de uma hora de distância um do outro. Decidimos trabalhar juntos, e passei todas as segundas-feiras do verão na bela casa de Mike em Marin Peninsula, perto de São Francisco. Adorei conhecer sua bela esposa, Karen, e seus três labradores amarelos: Fantasia, Africa e Roselle. Os cães se reuniam em volta de mim toda vez que eu entrava pela porta. E eu adorava aquilo. Michael, obrigado pelo privilégio de poder trabalhar com você em *Adorável heroína*. Foi maravilhoso!

Meu amor e meus agradecimentos a Robert, Ethan e Teddy. Vocês são o *Team Flory* e eu amo vocês. Obrigada por acreditarem em mim e por ouvirem todas as minhas histórias à mesa do jantar envolvendo cães. Mamãe, Sara, Jerry, Alice, Tracy, Mark, Dave, Bea, Jeff, Sheila, Teresa, Margaret, meus queridos amigos na Homebuilders, meus colegas de Facebook e de CAN, obrigada por fazerem orações por mim e por me animarem. Meus agradecimentos especiais ao grupo de leitores Leo, Joyce, Nancy, Mary, Kristy, Jeannette, Lorena, Marci-Beth, Jinx, Amy e Kristi. E Kathi Lipp, minha amiga oradora, eu adoro ter o privilégio de compartilhar essa vida louca da escrita com você. Um obrigada especial a Ann Dykstra da One Rincon Hill por deixar Robert e eu descermos as escadas para termos ideia do que Mike enfrentou no 11 de Setembro.

Sou grata aos amigos e familiares de Mike, que concederam entrevistas e sempre fizeram com que me sentisse bem-vinda: Karen Hingson, David Frank, doutor Marc Maurer, doutor Fredric Schroeder, Terry Barrett, Todd Jurek, Bob Phillips, Aaron Klein, Billie Castillo, K. Cherie Jones, Dava Wayman, Dick Rubinstein, Ellery Hingson, Hollybethm Anderson, James Gashel, Kevin Washington, Mark Riccebono, Mat Kaplan, senhor Herboldsheimer, Robin Keith, Tom Painter e sua querida tia Shirley Stone.

Finalmente, meus sinceros agradecimentos a Chip MacGregor, meu agente. Eu aprecio sua sabedoria e sua paixão por livros que mudam vidas (embora eu não esteja convencida de que Mark Twain seja o melhor autor americano de todos os tempos).

Brian Hampton e Bryan Norman, obrigada por acreditarem nesta história e por amarem Mike tanto quanto eu amo.

O adeus a uma heroína

Para mim, é estranho escrever este artigo enquanto carrego, ao mesmo tempo, sentimentos de tristeza e de alegria em meu coração. Mesmo assim, é algo que tenho de fazer.

Tenho a solene obrigação de informá-los de que minha cão-guia, minha heroína, Roselle, que estava comigo no World Trade Center em 11 de setembro de 2001, faleceu na noite passada, domingo, 26 de junho de 2011, às 8h52. Estou triste, obviamente, porque sentirei muita falta dela, mais do que dos meus outros cães-guia. Entretanto, escrevo também com alegria, pois Roselle está em um lugar melhor, longe das dores, enquanto eu levo comigo tantas doces memórias dela.

Roselle nasceu em 12 de março de 1998, na Guide Dogs for the Blind em São Rafael, Califórnia. Ouvi dizer que ela sempre fora, desde o início, uma cachorra bastante sapeca. Roselle foi para Santa Barbara, Califórnia, para ser criada por várias famílias cuidadoras. Kay e Ted Stern tiveram o prazer e a alegria de passar a maior parte do primeiro ano de vida de Roselle com ela. Eles a ensinaram a andar de avião.

Mostraram para ela Nova York, a neve e até mesmo a levaram ao teatro. E devo dizer que ela esbanjava cultura!

Depois de passar o período necessário com os cuidadores, Roselle voltou para a Guide Dogs for the Blind para ser treinada. Eu a encontrei pela primeira vez em 22 de novembro de 1999. Aquele era claramente o início de uma combinação perfeita. Roselle foi meu quinto cão-guia. Percebi que ela seria uma excelente guia já na nossa primeira caminhada juntos. No entanto, precisei de alguns dias para descobrir que Roselle era realmente uma figura! Eu costumava me referir a ela como uma fada. Logo nas primeiras noites que passamos juntos, descobri que ela era boa em roubar meias. Ela não as destruía, apenas as levava e as escondia em algum lugar para depois trazer de volta – apenas para me provocar. Sempre estava disposta a devolvê-las sem danos e prontas para serem usadas (apesar de um pouco úmidas). Seu rabo balançava durante toda a experiência. Aliás, seu rabo quase não deixou de balançar durante os doze anos que passamos juntos. Durante minha primeira semana com Roselle, também descobri que ela roncava alto. Os Stern me disseram posteriormente que ela roncava já quando estava com eles.

Viemos pra nossa casa em Nova Jersey em 4 de dezembro de 1999. Mais tarde naquela noite, Roselle conheceu minha cão-guia aposentada, Linnie. Linnie e Roselle pareceram um pouco desconfortáveis uma com a outra naquela noite e até a metade do dia seguinte. Cheguei à conclusão de que aquele desconforto já tinha durado demais e trouxe para casa um desses ossinhos feitos de corda. Fiz cada uma morder de um lado, enquanto eu segurava a parte central da corda.

Logo de início, as duas se uniram para lutar contra a minha força. Depois de mais ou menos vinte segundos assim, com as bocas se aproximando dos meus dedos, soltei o osso e as deixei sozinhas. Daquele momento em diante, elas se tornaram inseparáveis – até a morte de Linnie, em 4 de julho de 2002.

Em 11 de setembro de 2001, Roselle e eu estávamos no 78º andar da Torre 1 do World Trade Center quando a construção foi atingida pelo voo 11 da American Airlines (voo sequestrado e controlado por terroristas). Nossa fuga da torre, assim como o colapso da Torre Sul, são fatos bem conhecidos e, aliás, são o assunto tratado neste livro, escrito por mim e por Susy Flory. Tudo que quero dizer aqui é que Roselle fez um trabalho incrível. Ela permaneceu focada e calma durante todo o dia. Roselle distribuiu beijos e amor sempre que podia, e trabalhou enquanto era necessário. Eu não estaria vivo hoje se não fosse por Roselle. Palavras não seriam suficientes para descrever o trabalho incrível que ela realizou. O que Roselle fez no 11 de Setembro é um testemunho da competência não apenas dos Stern e dos demais que a criaram, mas também de seu treinador, Todd Jurek, de toda a equipe de treinamento da Guide Dog for the Blind e das demais pessoas que trabalham nessa organização maravilhosa. Acima de tudo, o que Roselle fez naquele dia – e também em todos os dias que passamos juntos – não foi nada menos do que evidenciar como funciona o trabalho em equipe e com confiança.

Depois do 11 de Setembro – aliás, em meados de janeiro de 2002, depois que Roselle e eu tínhamos passado inúmeras horas conversando com a mídia e em vários eventos, incluindo o almoço de Natal da Guide Dogs e até mesmo um passeio em carro alegórico na Rose Parade, durante o New York Day –, fomos convidados para trabalhar na Guide Dog for the Blind, eu como Diretor de Assuntos Nacionais da organização.

Durante os seis anos e meio seguintes, Roselle e eu viajamos centenas de milhares de quilômetros por todos os estados americanos e também ao redor do mundo. Falamos sobre confiança e trabalho em equipe, cães-guia e cegueira em geral, buscando ajudar as pessoas a entenderem que o verdadeiro problema em ser cego não é não enxergar, mas sim a falta de informações sobre a cegueira. Roselle realizou todas as viagens com equilíbrio e confiança, fosse para o Kansas ou para a Coreia. Era uma viajante incrível. Certa vez, fomos de São Francisco até a Nova Zelândia, uma viagem de quase 24 horas. Roselle se comportou como se fizesse uma viagem daquele tipo todos os dias. Era uma cachorra incrível, que provavelmente dormia mais do que eu durante os voos.

Em 2004, Roselle foi diagnosticada com trombocitopenia imunomediada, uma doença que levou seu sangue a atacar as suas plaquetas. Com a ajuda de medicamentos, conseguimos controlar a doença e ela pôde continuar guiando. Como de costume, ela trabalhava como um soldado, sem jamais demonstrar dor ou desconforto.

Quando Linnie morreu, em 2002, Roselle perdeu sua grande companheira de cabo de guerra. Durante os quatro anos que se seguiram, eu tive de assumir esse papel. Nós cuidamos de alguns cães adotivos da Guide Dogs for the Blind e, em 2003, adotamos Panama, um cão de 12 anos e meio, também da Guide Dogs. Panama não era um bom companheiro de cabo de guerra porque não tinha força para acompanhar Roselle. Em 2006, todavia, quando Panama morreu, aos 15 anos, decidimos nos tornar criadores para a Guide Dogs for the Blind. Fantasia veio viver com a gente. Ela tinha apenas dois anos e era capaz de competir, em termos de força, com Roselle. Novamente, Roselle encontrou uma amiga inseparável e aproveitou o quanto pôde. Ela ainda pegava um ou outro par de meia, mas Fantasia era seu principal interesse. Roselle a ensinou a latir toda vez que a campainha tocava e a implorar por agrados, embora devo admitir que implorar por comida fosse algo natural para as duas, especialmente quando as oito horas da noite se aproximavam.

Em fevereiro de 2007, durante um exame de rotina, descobrimos que os rins de Roselle estavam piorando. Os veterinários concluíram que a combinação dos medicamentos com o estresse de guiar era a causa dessa piora. Roselle se aposentou e deixou de guiar em março de 2007. Aquele foi um dia triste para todos nós, mas Roselle aceitou a situação e logo deixou claro que o descanso lhe tinha caído bem. Mesmo depois de se aposentar, ela adorava caminhar. Também adorava suas refeições, os mimos que recebia, brincar de cabo de guerra com Fantasia – e posteriormente com minha cachorra atual, Africa – e, obviamente, latir ao ouvir a campainha. De todas as cachorras, Roselle era a que latia mais alto. Carrego comigo doces memórias de Roselle, Fantasia e Africa brincando com a mesma corda, ao mesmo tempo – cada uma puxando para um lado da nossa sala de estar, sem se importar com o que estivesse no caminho.

Em 2010, Roselle começou a sentir uma dor crônica nas costas. Em março de 2010, enquanto eu discursava na convenção anual da American Animal Hospital Association, Roselle conheceu a veterinária Robin Downing, uma especialista em tratamento de dor animal. Robin percebeu a dor de Roselle e, enquanto eu dava três workshops consecutivos, passou um tempo com ela. Acho que elas se conheceram muito bem naquele dia, pois, logo depois dos workshops, a doutora Downing, bem ali, na primeira fila da sala de conferência, deu a Roselle uma sessão de ajuste vertebral - algo que claramente ajudou minha cachorra e a fez sentir-se melhor. Quando voltamos para casa, levamos Roselle imediatamente ao veterinário dela e demos início a um tratamento que envolvia acupuntura, ajuste vertebral e ervas, uma combinação que eliminava grande parte daquela dor crônica.

No início de 2011, percebemos que Roselle estava começando a ter dificuldades para se levantar sozinha, mas, quando estava de pé, adorava fazer suas caminhadas diárias. Roselle deixou de brincar de cabo de guerra com Fantasia e Africa, mas ainda gostava de se deitar sob o sol, de comer, de beijar a todos que encontrava e de latir quando a campainha tocava. Sua capacidade de ficar de pé sozinha diminuiu ao longo da primeira metade do ano.

Na semana passada, ela começou a demonstrar alguns outros sinais de dor e dificuldade. Na sexta-feira, 24 de junho de 2011, Roselle teve de ser levada ao veterinário depois de começar a vomitar sangue. Eles suspeitaram que, de alguma forma, ela também tenha desenvolvido uma úlcera estomacal. Também descobriram que a quantidade de seus glóbulos vermelhos tinha caído significativamente. Na noite de sexta-feira, Roselle foi levada ao Centro de Especialidades e Emergências, onde era conhecida e receberia os cuidados ao longo da noite.

Ela tinha passado muitas horas com o doutor Harb e sua equipe, cuidando da trombocitopenia imunomediada. Eles também a ajudaram em janeiro de 2009, quando ela desenvolveu torção gástrica e teve de passar por uma cirurgia de emergência para corrigir o problema.

Domingo, 26 de junho, nós a visitamos durante a noite e vimos que sua condição estava cada vez pior. Roselle sentia muita dor e muito desconforto. Não havia apenas uma causa para aquele desconforto. Em vez disso, o doutor Bowie percebeu que parte de seus problemas ligados à trombocitopenia imunomediada tinham retornado, além da possível úlcera no estômago. Depois de várias consultas e de muita discussão, todos concordamos que a melhor atitude para fazer Roselle sentir-se melhor seria ajudá-la a atravessar a ponte do arco-íris e rever seus amigos Linnie e Panama. Às 8h52 da noite de 26 de junho de 2011, ela cruzou a ponte e, tenho certeza, agora está se sentindo melhor e pode latir para todas as campainhas que quiser.

Como eu poderia dizer adeus a uma cachorra que fez tudo o que Roselle fez e que viveu a vida em sua plenitude? Como eu poderia prestar uma homenagem justa à sua vida, ao seu trabalho e à sua memória? Roselle foi uma das maiores bênçãos e um dos maiores presentes que eu tive o prazer de receber em minha vida. Deus definitivamente nos deu algo muito especial ao trazê-la a este mundo. Contando com Africa, tive sete cães-guia, e também tive a oportunidade de ver milhares deles trabalhando. Não tenho dúvidas de que Roselle era única. Atravessamos juntos o momento mais complicado da história do meu país, e ela estava lá, inabalável, enfrentando tudo aquilo. Seu espírito nunca se tornou menor. Aliás, Roselle tornou-se mais forte ao longo dos anos que se seguiram ao 11 de Setembro, e isso também me faz uma pessoa melhor hoje.

Agradeço a Deus pelo tempo que Karen e eu pudemos compartilhar com essa criatura maravilhosa chamada Roselle. Ela mexeu com todos que a conheceram, e tenho certeza de que todos cujos caminhos cruzaram com o dela se tornaram pessoas melhores por tê-la conhecido. Roselle beijou bombeiros no World Trade Center enquanto descíamos as escadas. Distribuiu amor incondicional às pessoas, por todos os lugares onde passava. Roselle inspirou a todos nós, e vai continuar nos inspirando.

Estamos prestes a fundar a Roselle's Dream Foundation. Esse tem sido um trabalho que já se estende por vários meses. Entre os objetivos da fundação, estão educar as pessoas sobre a cegueira e, se as doações permitirem, ajudar crianças cegas (e posteriormente adultos cegos) a terem acesso a algumas das tecnologias que os ajudarão a aprender e a trabalhar. O site www.rosellefoundation.org já está no ar. Espero que as pessoas celebrem a memória Roselle fazendo doações à fundação e nos ajudando a realizar nosso trabalho.

Roselle, sua memória sempre estará conosco, e sei que seu espírito continuará tocando a todos nós. Sei que você está nos vendo e que está perto de nós. Ajude todos nós a nos tornarmos pessoas e cães melhores, mas, acima de tudo, seja você mesma, onde quer que esteja. Espero que esteja se sentindo melhor agora. Você despertou um grande amor em todos nós. Esteja em paz e saiba que nós vamos tentar amar uns aos outros tanto quanto você amou cada um de nós aqui na Terra.

Com amor,
Mike Hingson

Impressão da pata de Roselle em 20 de junho de 2011, seis dias antes de sua morte.

Sumário

Prefácio

de Larry King

Aqueles que enxergam só podem imaginar o que é ser cego. Feche seus olhos por um ou dois minutos e ande pela casa. Por um instante, imagine uma vida assim. Então, imagine-se especificamente ao lado de sua cão-guia de confiança, Roselle, trabalhando 78 andares acima do chão no World Trade Center no dia 11 de setembro de 2001.

Adorável heroína é a incrível história de Michael Hingson e Roselle descendo as escadas desses 78 andares, ajudando dezenas de outras pessoas a escaparem de um prédio prestes a desabar. Um homem e sua cão-guia descendo pelas escadas, desesperados, mas ao mesmo tempo calmos. Você vai ler momentos inesquecíveis que refletem a experiência cega com ênfase nos sentidos que vão muito além da visão. Você vai reviver a tragédia e o triunfo do 11 de Setembro.

Este livro celebra o poder da ligação entre o homem e o animal. E todos nós podemos aprender lições de vida com essa história incrível.

Tive a honra de receber Michael no *Larry King Live* em cinco ocasiões diferentes e, em todas elas, ele levou consigo seu cão-guia. Os telespectadores já reviveram a história várias e várias vezes e parecem não se cansar dela. Desde então, Michael se tornou um herói internacional e tem aparecido ao redor do mundo. Já foi homenageado por muitas organizações e, em julho de 2010, foi o principal palestrante da conferência anual da National Federation of the Blind, em Dallas.

Cada capítulo deste trabalho instigante o deixará encantado. Você vai reviver os 1 463 degraus à medida que lê a história de um homem e sua cachorra triunfando sobre as adversidades. Prepare-se, pois você está prestes a dar início a uma jornada apaixonante.

Introdução

A verdadeira história

— Sinto muito – disse o médico. – Ele é permanentemente e totalmente cego. Não há nada que possamos fazer com relação a isso.

George e Sarah Hingson olharam um para o outro, desolados. Seu filho de apenas seis meses, Michael, era um garotinho feliz, de cabelos loiros, com saúde e normal em todos os aspectos – exceto um. Quando os Hingson acendiam a luz ou faziam caretas, Michael não reagia. Nunca.

Michael Hingson nasceu em 1950, 59 dias prematuro. Naquela época, o procedimento médico padrão era colocar o bebê prematuro em uma incubadora selada e bombear oxigênio puro até que seus pulmões estivessem prontos. A prática era comum há anos e resultou em uma deficiência visual epidêmica nos bebês prematuros nascidos antes de 32 semanas de gestação. A culpada: uma doença ocular chamada retinopatia da prematuridade (ROP), anteriormente conhecida como fibroplasia retrolental.

Arnall Patz, médico e professor pesquisador da Johns Hopkins University, descobriu a causa da ROP. Na verdade, a terapia de oxigênio extrema fazia com que os vasos sanguíneos na parte de trás dos olhos se contraíssem. O olho, em uma tentativa de compensar isso, produzia um emaranhado de vasos sanguíneos que vasavam, cicatrizavam e, consequentemente, destruíam a retina.

O senhor e a senhora Hingson tinham observado o médico dilatar a pupila de Michael e examinar cada retina com um instrumento especial chamado oftalmoscópio indireto. O objetivo do exame era avaliar o quanto aqueles vasos sanguíneos da retina tinham crescido. O prognóstico da ROP é indicado com base no estágio. Um diagnóstico de estágio 1 ou 2 significa que a condição é menos severa e não vai levar à cegueira. Quanto mais alto o estágio, pior o prognóstico. Michael foi diagnosticado com estágio 4, o que significava descolamento quase total da retina, resultando em perda da visão. A retina funciona como o filme em uma câmera fotográfica, criando uma imagem do mundo visual em camadas de neurônios e sinapses que capturam a luz para que o cérebro possa codificá-la e processá-la. A ausência de função da retina significa que nenhuma informação visual é transmitida ao cérebro. A condição de Michael era irreversível.

Antes de o doutor Patz provar sua teoria controversa por meio de experimentos clínicos, usando dinheiro que ele tomou emprestado de seu irmão, mais de 10 mil crianças prematuras ficaram cegas nos Estados Unidos entre 1941 e 1953. Michael foi um desses bebês, assim como o ator Tom Sullivan, o músico Stevie Wonder e o presidente da National Federation of the Blind, doutor Marc Maurer. Havia tantas crianças com problemas visuais no início da década de 1950 nos Estados Unidos, que a idade média das pessoas cegas no país caiu de 70 para 65 anos.

– Minha sugestão é que vocês o enviem para um lar voltado para cegos – continuou o médico, após examinar Michael. – Lá os especialistas poderão tomar todos os cuidados com ele.

As palavras foram duras e talharam marcas de choque e dor no coração dos Hingson.

– Ele nunca vai conseguir fazer nada sozinho por conta da cegueira. Se vocês o mantiverem em casa, ele só vai se tornar um peso para a sua família.

Como acontece com a maioria das pessoas, os Hingson nunca tinham convivido com uma pessoa cega. Mas eles tinham os pés no chão e a cabeça feita, então tomavam suas próprias decisões. George (um autodidata que consertava aparelhos de TV e que tinha estudado até a 8ª série) e Sarah (uma mulher com ensino médio completo e com licença para trabalhar como esteticista) decidiram ignorar o médico. Eles amavam Michael da mesma forma que amavam Ellery, seu irmão de dois anos. Independentemente do que os especialistas dissessem, aquele casal não estava disposto a enviar seu querido filho mais novo para um lugar estranho, longe de casa e da família. Tinha de haver uma saída. Instintivamente, os Hingson sabiam que a visão não era o único caminho para o aprendizado.

Desde o início, Michael foi tratado igual ao seu irmão. Foi encorajado, educado e amado. A família esperava que ele crescesse e aprendesse como qualquer outra criança. Michael teve permissão para explorar a vizinhança com seus próprios pés, com sua bicicleta e, depois, com seu cão-guia. Ele nunca frequentou uma escola para cegos ou viveu em uma comunidade separada. Nunca se sentiu deficiente ou incapaz. Ele sabia que era diferente, mas decidiu não deixar essa diferença atrapalhar sua vida. Por fim, depois que seus pais decidiram ignorar as fortes recomendações do médico, Michael teve chance de crescer e encontrar seu próprio caminho em um mundo que não foi criado para pessoas como ele.

Esta é a história de um homem que nasceu cego e venceu as adversidades ao longo de sua vida. Suas habilidades de sobrevivência – adquiridas com muito custo – e seu espírito teimoso e confiante o prepararam para sobreviver aos ataques ao World Trade Center em uma descida por 78 andares com sua cão-guia, Roselle. O fato de Michael ser cego não o impediu de chocar seus vizinhos ao andar de bicicleta pelas ruas de Palmdale, Califórnia, durante a sua infância. E sua cegueira se tornou uma habilidade nos atentados de 11 de Setembro, do qual ele sobreviveu e pôde ajudar outras pessoas durante o pior ataque de todos os tempos em solo norte-americano.

Sim, há mais:

– Para mim, a verdadeira história não é como conseguimos sair do World Trade Center, mas sim como eu consegui chegar lá – expõe Michael.

Quarenta e cinco anos depois do nascimento de Michael Hingson, um filhote de labrador retriever amarelo veio ao mundo na unidade da Guide Dogs for the Blind, em São Rafael, na Califórnia. Aquele filhote receberia o nome de Roselle. E Roselle também nasceu cega. No entanto, depois da terceira ou quarta semana, os olhos de Roselle se abriram. Em 11 de setembro de 2001, ela salvaria a vida de Michael. Esta história também é de Roselle.

capítulo 1

Dia de tempestade

"A ligação que temos com um cachorro é sempre tão duradoura quanto os laços desta Terra podem ser."
KONRAD LORENZ

11 de setembro de 2001. Posso sentir seu corpo estremecer. São 0h30 e Roselle está com medo do trovão. Outra vez.

Sonolento, consigo me sustentar com o cotovelo e estendo a mão para acariciá-la. Afago suas orelhas, correndo meus dedos por aquela suavidade aveludada. Roselle levanta a cabeça e, usando o focinho, acaricia minha mão. Aquele focinho costuma ser frio e úmido, mas agora parece aquecido. Ela estremece e sua respiração úmida começa a se espalhar no ar entre nós.

Ouço a respiração ritmada de Karen, minha esposa. *Que bom, ela continua dormindo.*

O estremecimento de Roselle se transforma em uma tremedeira, e eu sei que terei de me levantar. Permaneço deitado por um instante, ouvindo. Ouço o vento bater nas janelas, como se tentasse testá-las. Mas isso é tudo por enquanto. Roselle sabe que uma tempestade está se formando. Ela costuma ficar nervosa aproximadamente meia hora antes de os trovões começarem.

Depois de bocejar, esfrego as mãos em meu rosto, em uma tentativa de acordar. Meu despertador está programado para tocar às 5h, então percebo que, depois que me levantar com Roselle, esperar a tempestade passar ao lado dela e voltar para a cama, já não terei mais muito tempo para dormir. Ela se levanta e começa a tremer outra vez. Eu me sento e acaricio seu queixo e seu pescoço, e então enfio meus pés nas pantufas e me levanto, colocando meu roupão. Roselle se esfrega em minhas pernas, feliz por saber que não terá de enfrentar sozinha a tempestade. Aquela cauda forte, característica de um labrador retriever, bate novamente contra meus joelhos uma ou duas vezes, enquanto eu a acompanho para fora do quarto.

Seguimos pelo corredor, a caminho do andar inferior, e então descemos dezesseis degraus. O corrimão de madeira parece estar cada vez mais frio conforme descemos. Eu me lembro de ter ouvido no jornal do dia anterior que aquela seria uma tempestade fria, que viria do Canadá e traria o primeiro sopro do outono a Westfield, Nova Jersey.

As unhas de Roselle batiam em um ritmo uniforme conforme ela atravessava o chão de carvalho do hall de entrada, passava pela porta do elevador e descia os degraus até o porão. Eu a seguia, tentando ouvir diferenças no ar, diferenças que me orientassem no piso plano tridimensional de nossa casa.

Comecei a ouvir meus arredores aos quatro anos de idade. Alguém me deu um carro de brinquedo, um carrinho para eu dirigir pelo nosso apartamento. Rapidamente, aprendi a trabalhar com os pedais e a atravessar os cômodos em alta velocidade. Um dia, enquanto dava uma volta pela sala de estar, bati na mesinha de centro. O capô do carro tinha a altura perfeita para deslizar por baixo da mesa, então bati meu rosto na lateral do móvel. Uma visita ao pronto-socorro e três pontos em meu queixo mais tarde, encarei a fúria de minha mãe. Acho que ela poderia ter se livrado do carrinho para assegurar-se de que eu não sofreria outro acidente, mas não fez isso.

– Mike, você vai ter que olhar com mais atenção por onde anda – disse minha mãe.

Algo engraçado para se dizer a uma criança cega, mas o que ela queria dizer era que eu devia *ouvir* com mais atenção. Portanto, foi exatamente o que eu fiz.

Graças ao encorajamento de minha mãe, ao trabalho que eu mesmo realizei e, em parte, ao desejo de evitar mais passeios ao pronto-socorro, passei a prestar mais atenção ao que eu percebia à minha volta com a ajuda de meus ouvidos. E, de alguma forma, eu ouvia a mesinha de café quando me aproximava dela. Eu conseguia ouvir a diferença quando passava de um cômodo para outro. Quando andava, eu conseguia ouvir a porta. Conforme eu corria pela casa, pisando no pedal do meu carro, minha confiança se tornava maior, e então aprendi a superar a necessidade da visão. Quantos outros garotos de quatro anos andam em alta velocidade com seus carros de pedal pela casa em meio à total escuridão? Isso não é uma tarefa para aqueles que dependem da luz.

Conforme eu acompanhava Roselle pelas escadas até meu escritório, no porão, comecei a ouvir os primeiros estrondos da tempestade que se aproximava. Roselle se enfiou embaixo da minha mesa e voltou a tremer – dessa vez em ritmo mais rápido e fazendo mais barulho. Ela é um dos cachorros mais calmos que eu já conheci, mas os trovões a assustam. É curioso: Roselle já me guiou durante tempestades e, muito embora ela não goste, suas habilidades como cão-guia são mais fortes e, mesmo em momentos assim, ela me guia muito bem.

Ninguém sabe ao certo por que alguns cachorros temem tempestades. Talvez eles sejam mais sensíveis às quedas de pressão atmosférica. Ou pode ser que consigam ouvir frequências muito mais altas e muito mais baixas, e então simplesmente ouvem a tempestade antes de nós. Outra possibilidade é que os cães consigam sentir o cheiro da tormenta que se aproxima. Os raios ionizam o ar com a formação de ozônio, que tem um cheiro metálico bastante característico.[1] No entanto, é mais provável que isso tenha a ver com as mudanças no campo elétrico estático que precede uma tempestade. Tom Critzer, um engenheiro elétrico, tinha um cachorro chamado Cody que tinha uma fobia de tempestades tão forte quanto a de Roselle. Então, Critzer criou uma capa com linhas especiais de metal que descarregavam a pelagem do animal e a protegia do acúmulo de carga estática. Eu não tenho capas mágicas contra tempestades para Roselle, mas aumento o volume do programa de notícias no rádio para ajudar a mascarar os estrondos.

Enquanto esperávamos juntos, no escuro, pela tormenta, Roselle se enrolou perto dos meus pés, e eu liguei o computador para trabalhar um pouco e ajudar a passar o tempo. A mistura dos barulhos do rádio, das pancadas de meus dedos no teclado e do murmúrio ritmado do meu leitor de tela fez Roselle parar de tremer. E eu pude sentir seu corpo começar a relaxar. Não fiquei aborrecido por usar aquele tempo extra me preparando para a reunião que teria de manhã. Esperávamos cinquenta convidados para quatro treinamentos e, como gerente regional de vendas, sou o responsável por essas apresentações.

Uma hora e meia depois, a tempestade tinha passado, e Roselle e eu estávamos sentados de volta na cama, no andar de cima.

Em menos de seis horas, estaremos no World Trade Center.

Temos um longo dia nos aguardando.

---

1 Alex Lieber, "How Do Dogs Sense Oncoming Storms?" PetPlace.com. Disponivel em: <http://www.petplace.com/dogs/how-do-dogs-sense-oncoming-storms/page1.aspx>.

capítulo 2

1463 degraus

"Foi um daqueles momentos que definem a história e
que dividem o mundo em 'antes' e 'depois'."
EDITORIAL DO *THE NEW YORK TIMES*
12 DE SETEMBRO DE 2001

Roselle está novamente debaixo da minha mesa. Dessa vez, não está tremendo de medo, mas roncando daquele jeito que somente os cães roncam, em estado de relaxamento extremo. Estou me matando para conseguir me arrumar para os treinamentos de venda desta manhã.

Uma manhã que, por sinal, já está bastante corrida. Entre me sentar com Roselle durante a tempestade e me levantar algumas horas depois, às cinco, quase desejei ter tomado café preto em vez do meu costumeiro chá PG Tips, apesar de ser, antes de qualquer coisa, um apreciador de chás.

Por conta das reuniões agendadas, tive de colocar meu despertador um pouco mais cedo do que de costume. Eu precisava chegar ao trabalho mais cedo e me assegurar de que tudo estivesse perfeitamente preparado, tanto para a apresentação quanto para o café da manhã.

Estava ansioso para servir o que eu acreditava serem os melhores croissants de presunto e queijo da cidade de Nova York, encomendados na Sky Dive, uma confeitaria no 4º andar do terminal Port Authority.

Enquanto eu fazia a barba, tomava banho e me vestia, Roselle continuou dormindo em seu cobertor do lado da cama. *Ela provavelmente ainda está cansada por causa do temporal.* Deixei-a dormir por todo o tempo possível. Quando era hora de descer para comer, Roselle acompanhou meus movimentos, como de costume, correndo na minha frente pelo corredor e pelas escadas, até chegar à cozinha. Como em nosso quintal não havia cerca, a primeira coisa que fiz foi levá-la, em uma coleira, até o lado de fora para que ela pudesse se aliviar. Em seguida, voltei para dentro e liguei a TV. Enquanto enchia minha tigela de cereal, ouvi as notícias. Minha mente estava focada nas reuniões daquela manhã; as notícias eram sobre as eleições primárias ao final do dia saberíamos quem substituiria o prefeito Giuliani. Levantei-me e abri a porta para Roselle entrar. Ela pegou seu osso de couro favorito e brincou em silêncio enquanto eu terminava o meu café da manhã.

Alguns minutos antes das seis, chamei Roselle e fechei sua guia. Ela tem uma personalidade parecida com a de uma fada: cheia de energia, divertida e adorável. Brinca quando pode e trabalha quando precisa. No entanto, a guia de couro é como o uniforme de minha cachorra: quando é colocada, o comportamento de Roselle muda. Ela se torna menos animada, mais focada, e sempre leva seu trabalho a sério. Roselle exige que eu faça o meu melhor também, e adora ser parte da equipe.

Charlie, dono do Happy Fox Taxi, buscou-nos para realizarmos a viagem de dez minutos até a estação New Jersey Transit. Esperamos ali pelo trem das 6h18, mas um anúncio nos alto-falantes avisou que ele atrasaria quinze minutos. Esse tipo de atraso era algo muito raro e particularmente decepcionante em um dia que eu tinha planejado chegar cedo em Nova York. Depois de dois outros anúncios de atrasos adicionais, o trem finalmente se aproximou – cheio de passageiros, todos igualmente irritados. E nossa chegada à estação de Newark não aconteceria tão cedo.

Em Newark, tomamos imediatamente um trem PATH com destino ao World Trade Center. PATH significa Port Authority Trans-Hudson, nome dado aos trens que transitam entre Nova Jersey e a cidade de Nova York. Os trilhos atravessam o rio Hudson por tubos de ferro fundido, que há mais de um século estão no fundo do rio, sob uma fina camada de lodo, e então seguem por túneis sob as ruas de Manhattan. Saimos do trem na estação World Trade Center do PATH, interligada às torres gêmeas por uma passagem subterrânea e um centro de compras. Aquela passagem era como uma cidade, sempre movimentada com pessoas que se apressavam para chegar ao trabalho, ou entrando e saindo de restaurantes, bares e lojas. Tomamos nosso caminho costumeiro, atravessando um estacionamento subterrâneo e, no quarto subsolo, tomamos um elevador que nos levou à portaria da Torre Norte, também conhecida como Torre 1. A unidade de segurança eletrônica escaneou minha carteira de identidade e, em seguida, Roselle e eu entramos no elevador.

Eu adorava trabalhar no World Trade Center. As Torres Gêmeas dominavam o complexo de edifícios, formado por sete prédios e um pátio de 16 hectares de terra. O último edifício do projeto foi concluído em 1973. Durante um ano, as Torres 1 e 2 eram os prédios mais altos do mundo. Cada uma delas se elevava a 413 metros de altura e tinha 110 andares e 21 800 janelas. Os componentes da construção incluíam 200 mil toneladas de aço, 324 935,81 metros cúbicos de concreto e 55 741,82 metros quadrados de vidro distribuídos nas janelas. Juntas, as duas torres pesavam 1,5 milhão de toneladas. Os nova-iorquinos adoravam se vangloriar dizendo que o World Trade Center tinha seu próprio código postal.

Roselle e eu deixamos o elevador no 78º andar. Abri a porta número 7 827, do conjunto de escritórios da Quantum/ATL, uma empresa que tinha seu nome na lista Fortune 500 e que oferecia sistemas de proteção de dados e de armazenamento em rede. Eu era o diretor de vendas regional e chefe de operações em Nova York.

Nosso conjunto era formado por quatro ambientes espaçosos, um ao lado do outro, medindo 8,2 metros da entrada até a janela, que dava para a paisagem do sudoeste da cidade de Nova York. Primeiro, havia uma pequena recepção. Atrás dela, algumas mesas e o ATL P-3000, nosso enorme sistema de backup em fita, com seus aproximados 1,8 metros de altura e 590 quilos. Logo à esquerda da porta de entrada, estava meu escritório, também usado para demonstrações de produtos, armazenamento de arquivos e abrigo do nosso servidor. À direita, estava uma sala de conferências com uma mesa de quase 3,5 metros. Um pouco mais à direita, havia um escritório onde os representantes de vendas trabalhavam em suas mesas.

Cinco segundos depois de nossa chegada, chegou também o entregador do café da manhã. Ajudei-o a desempacotar e a organizar, na sala de conferências, os pratos quentes, os doces, os pães, o café e os croissants de presunto e queijo. Ele foi embora rapidamente, seguindo para sua próxima entrega do dia.

Alguns minutos depois, David Frank, um colega da Quantum, chegou acompanhado dos seis funcionários da Ingram Micro, uma empresa com a qual tinhamos negócios. David tinha ajudado a organizar as palestras daquele dia e nós participaríamos da reunião. Ele era um homem alto, quieto e pensativo, vindo da nossa sede na Califórnia.

Roselle e eu demos boas-vindas a todos os convidados. Então, voltei a preparar a sala de conferências e a testar nossa apresentação em meu laptop. Roselle se aconchegou em seu local favorito: debaixo da minha mesa. Costumava ficar naquele local quando não estava dando suas boas-vindas características a alguém.

Um pouco depois das oito, um dos funcionários da Ingram deixou o escritório e voltou para a entrada para encontrar e acompanhar as pessoas conforme elas chegavam. Com isso, ficaram cinco convidados na sala de conferências. David e eu estávamos em meu escritório, trabalhando em uma planilha com a lista dos participantes, acrescentando nomes e fazendo correções conforme as confirmações e desistências nos eram avisadas. Estávamos nos preparando para imprimir a lista final no papel timbrado da Quantum para enviá-la por fax para os seguranças na portaria do World Trade Center quando percebi que estava sem papel timbrado.

Cuidadosamente, deslizei meu pé, sobre o qual estava a cabeça de Roselle, que dormia, e comecei a me levantar para ir até o armário com itens de papelaria e pegar mais papel timbrado. Foi nesse momento que ouvi um estrondo fortíssimo. São 8h46 da manhã. O edifício estremece violentamente e então começa a gemer e a lentamente pender para o sudoeste. Sinto a torre se inclinar em câmera lenta.

Eu cresci em uma área de terremotos perto da Falha de San Andrea, no sul da Califórnia, então meu primeiro reflexo é seguir na direção da porta. No entanto, sei que o que acabou de acontecer não foi um terremoto. Roselle continua parada debaixo da mesa enquanto David se segura na mesma mesa para tentar manter o equilíbrio. Parte do forro cai no chão. Nós dois estamos confusos. *O que pode ter acontecido?*, David e eu nos perguntamos.

– Foi uma explosão? Alguma coisa bateu no prédio? O que poderia fazer a torre se inclinar desse jeito?

– Seria um ataque? Não, não faria sentido colocar uma bomba em uma região tão alta quanto aqui em cima. Deve ser algum tipo de explosão de gás.

Enquanto conversamos, a torre continua se inclinando. O desastre parece iminente. Receio que o prédio vá cair e afundar a rua dentro de poucos segundos. *Meu Deus, não deixe esta torre tombar,* peço em silêncio.

Com lágrimas nos olhos, David e eu nos despedimos. Tenho certeza de que vou morrer.

Então, lenta e milagrosamente, o prédio para de se inclinar e começa a se ajeitar. Todo o episódio parece durar mais ou menos um minuto. Naquele exato instante, Roselle decide acordar de sua soneca. Ela sai debaixo da minha mesa e olha à sua volta, quieta. Não consigo nem imaginar no que ela estaria pensando, mas passo pela porta e agarro sua guia para ter certeza de que não ficaremos separados. Não tenho ideia do que acabou de acontecer, mas dou graças por estar vivo.

David olha pela janela atrás da minha mesa e grita:

– Ah, meu Deus!

Algumas janelas acima da nossa explodiram e há fumaça, fogo e milhões de folhas de papel em chamas voando pelo ar. Ouço o ruído que os destroços produzem ao passarem pelas janelas.

O que nós não soubemos até muito tempo mais tarde era que o voo 11 da American Airlines, um Boeing 767 saindo de Boston com destino a Los Angeles, tinha sido sequestrado. Cinco membros da Al-Qaeda, uma organização terrorista islâmica encabeçada por Osama bin Laden, tinham invadido a cabine do piloto e tomado o controle da aeronave. O sequestrador, um egípcio de 33 anos chamado Mohammed Atta, pilotou o voo comercial em direção ao nosso prédio a 805 quilômetros por hora, atingindo do 93º ao 99º andar. Transportando 92 pessoas e aproximadamente 10 mil galões de combustível, a aeronave bateu na Torre Norte com uma força equivalente a 480 mil quilos de TNT.[1] O choque registrou uma magnitude de 0,9 em um sismógrafo na Universidade de Columbia, valor semelhante ao de um terremoto leve.

O impacto criou uma enorme bola de fogo. Conforme a aeronave entrava no prédio, ela criava uma nuvem de combustível que desencadeava uma tempestade de fogo, queimando algo estimado entre mil e 3 mil galões de combustível de avião.[2] Um inferno imediato, a chama era intensa a ponto de fazer as temperaturas atingirem picos superiores a 1 000 °C.[3] O impacto também causou danos estruturais agudos,

---

1 Dennis Cauchon, "For Many on Sept. 11, Survival Was No Accident". *USA Today*, 20 dez. 2001. Disponível em: <http://www.usatoday.com/news/sept11/2001/12/19/usatcov-wtcsurvival.htm>.

2 James Glanze Eric Lipton, "How the Towers Stood and Fell". *New York Times Magazine*, 8 set. 2002.

3 Nancy Lee, Lonnie Schlein e Mitchell Levitas (eds.). *A Nation Challenged: a Visual History of 9/11 and Its Aftermath*. Nova York: The New York Times/Callaway: 2002, 24.

demolindo cerca de 35 colunas exteriores entre o 94º e o 98º piso, além de destruir parte desses andares.

Embora o impacto tenha ocorrido mais de uma dúzia de pisos acima do nosso e do lado oposto do edifício, nosso escritório está uma bagunça. O estremecimento da torre fez nossos materiais caírem no chão e se misturarem ao forro que se soltara do teto e a outros materiais de construção.

Ouço nossos convidados gritarem na sala de conferência.

David berra:

– Temos que sair daqui AGORA!

– Sim, também acho – eu concordo. – Mas vamos fazer as coisas devagar e da forma correta. Eu quero evacuar nossos convidados primeiro e então seguir logo atrás deles.

Eu tinha participado de muitas sessões de treinamento do World Trade Center. Nós realizávamos exercícios de simulação de incêndio a cada seis meses. Repassei as ideias básicas desses treinamentos mentalmente. *Evite os elevadores. Use as escadas. E não entre em pânico.*

Não entre em pânico. Alguns podem achar que para mim é fácil dizer isso, já que, diferentemente de David, não posso ver as chamas, a fumaça e os destroços caindo pela janela. Aqui está o cara cego dizendo a David para fazer alguma coisa contrária ao que seus olhos e seus instintos lhe dizem para fazer. Eu sei criar imagens mentais e entendo tão bem o que está acontecendo quanto qualquer outra pessoa entenderia um evento catastrófico e inesperado.

No entanto, o que David não entende é que tenho uma informação que ele não tem. Quando os destroços começaram a cair, trazendo consigo parte das chamas que tomavam conta dos andares acima de nós, e até mesmo enquanto as pessoas na sala de conferências gritavam, Roselle permaneceu sentada perto de mim tão calma quanto sempre.

Ela não sente o perigo nas chamas, na fumaça ou em qualquer outra coisa à nossa volta. Se tivesse percebido algum perigo, teria agido de uma forma diferente. No entanto, ela não fez isso. Eu escolho confiar no juízo de Roselle e, portanto, não vou entrar em pânico. Roselle e eu formamos uma equipe.

Instruímos nossos convidados para que evacuem o prédio usando as escadas e peço para David seguir com eles, para ter certeza de que eles as encontrarão. Quando ele deixa o escritório, telefono para Karen.

– Karen, aconteceu algum tipo de explosão aqui. Nós estamos bem, e estamos deixando o prédio agora. – Ela está ansiosa, então tento manter minha voz calma. – David, Roselle e eu estamos juntos. Nós vamos seguir pelas escadas.

Digo a ela que telefonarei assim que puder, mas que preciso ir.

David volta e começamos a agir, desligando os servidores e as bibliotecas de demonstração. Nesse momento, não temos ideia alguma do que aconteceu ou de quando poderemos voltar, mas queremos proteger nossos dados. Eu entendo que, se os bombeiros vão entrar aqui trazendo mangueiras, é melhor desligarmos a energia para minimizar os possíveis problemas causados pela água. No entanto, ficamos ansiosos e abandonamos essa ideia, pois mover cada equipamento para desligá-los da tomada estava nos tomando muito tempo. Os minutos que ganhamos ao decidir sair imediatamente se provaram de extrema importância mais tarde.

É hora de sair. Eu fecho minha pasta e seguro a guia de Roselle.

– Siga em frente – digo a ela com uma voz suave.

"Em frente" é usado depois de colocarmos a guia no cachorro e é um dos primeiros comandos que todos os cães-guia aprendem logo que os treinos começam. Você posiciona o pé esquerdo ao lado do cachorro e, então, sincroniza o comando verbal "Em frente" com um aceno, um leve movimento com a mão direita. Então, basta esperar que o cão comece a puxar e, ao sentir a força na guia, você dá o primeiro passo com o pé direito.

Nós dois nos movemos como um. Roselle me guia cuidadosamente por entre detritos. Ela permanece calma e focada, mesmo quando as coisas estão caindo em cima dela. David, Roselle e eu seguimos rapidamente para fora do escritório em direção ao corredor central. As pessoas estão correndo por toda a nossa volta. Há confusão, fumaça e barulho.

Cada torre tem três escadarias. Seguimos para a escadaria B, no centro. Segurança é algo que está lá embaixo e nossa única saída é enfrentar 1 463 degraus.

Em frente.

capítulo 3

Minha outra alma gêmea

"O cachorro é o único ser que ama você mais
do que a si mesmo."
JOSH BILLINGS

A atmosfera é caótica enquanto as pessoas se apressam para escapar do arranha-céu em chamas. Quando passamos pela porta do escritório, dobramos à direita. Do outro lado do corredor, há outros escritórios. Apressamo-nos pelo corredor, que passa pela lateral de uma das duas praças internas do 78º andar. Ao final do corredor, viramos para a esquerda, passamos por mais um corredor, e finalmente saímos no lobby onde, em um dia normal, as pessoas estariam esperando para trocar de elevador.

Roselle anda com confiança, assim como eu. Embora eu tenha tido cães-guia desde os catorze anos, sei muito bem que Roselle e eu formamos uma parceria bastante recente – estamos trabalhando juntos há apenas 21 meses.

É necessário pelo menos um ano para se forjar um bom relacionamento com um cão-guia. É como um casamento. Ambos os lados precisam conhecer um ao outro. Eu estudo meu cachorro e meu cachorro me estuda e, com o tempo, aprendemos a ler os pensamentos e os sentimentos do outro. A confiança começa a se desenvolver e nós nos tornamos interdependentes. Mais ou menos como acontece com uma equipe cirúrgica ou com policiais que colocam suas vidas nas mãos um do outro. Confio minha vida a Roselle todos os dias. Ela confia em mim para direcioná-la. E hoje não é diferente, apenas os riscos são maiores.

Ouço algumas pessoas caminhando pelo esfumaçado lobby de 240 metros quadrados enquanto David, Roselle e eu passamos por ali. Mesmo se eu ignorasse todos os treinamentos de emergência conduzidos pela Port Authority e tivesse tentado tomar um dos elevadores, seria uma perda de minutos precisos, já que todos os elevadores da Torre Norte tinham sido desativados por conta do choque da aeronave. Além disso, sei que os poços de elevadores centrais se estendem de baixo para cima. Todo o centro das torres do World Trade Center é oco – dois revestimentos externos de aço suportavam quase metade do peso total do edifício. As torres são mais leves, mais flexíveis e mais eficientes do que os arranha-céus mais antigos de Nova York, como o Empire State Building.[1] No entanto, aqueles poços de elevadores longos e ocos também se tornavam um canal para fogo e gases, portanto, de forma alguma poderíamos seguir por ali. Enquanto passávamos rapidamente pelos ascensores, David comenta que o acabamento feito de mármore verde-escuro em volta das portas está rachado e cedendo.

O 78º piso é diferente da maioria dos outros andares do World Trade Center porque, por acaso, contém um dos lobbies da Torre Norte, onde as pessoas trocam de elevadores para seguir para os andares superiores. Em um dia de trabalho normal como hoje, doze grandes elevadores expressos levam as pessoas do térreo até o 78º piso sem fazer paradas. Os elevadores são enormes. Eu costumava brincar, dizendo que era possível usar um deles como escritório. Os elevadores viajam a 2,73 quilometros

---

1 Stefan Aust e Cordt Schnibben (eds.). "Inside 9-11: What Really Happened". In: *Der Spiegel*. Nova York: St. Martin's Press, 2002.

por hora e as corridas levam 48 segundos. Eu já tinha cronometrado. Quando você chega ao lobby, faz a troca, tomando um dos elevadores menores que o leva até os pisos superiores. Ao todo, existem 97 elevadores de passageiros e seis para carga em cada uma das torres.

Nosso lobby está cheio de fumaça, mas relativamente intacto. Na Torre Sul, todavia, o cenário é bastante diferente. Na nossa torre irmã, o lobby do 78º andar se tornaria um lugar onde "a vida e a morte se cruzam da forma mais violenta".[2] Cerca de 16,5 minutos depois de o primeiro avião bater contra nossa torre, o voo 175 da American Airlines, vindo de Boston, entraria em choque direto com o 78º piso da Torre Sul, bem ao nosso lado. As estimativas apontam que havia cerca de 200 pessoas no lobby tentando evacuar a Torre Sul – e a maior parte delas não sairia viva. Mais tarde, Martha Moore e Dennis Cauchon, repórteres do *USA Today*, escreveriam: "Uma explosão ensurdecedora e uma onda de calor escaldante se espalharam pelo lobby. O ar ficou preto por conta da fumaça. Chamas saíram dos elevadores. As paredes e o teto caíram como nada além de destroços contra o chão. Estilhaços de vidro voavam como facas sendo arremessadas".[3]

A segunda explosão arremessou pessoas pelo ar. Sobreviventes, com seus corpos queimados e sangrando, acordaram em um chão coberto por escombros, vigas de aço penduradas e em meio a um dilúvio causado pela água lançada dos extintores. Assim como em nossa torre, os elevadores da Torre 2 estavam inoperantes. Além disso, duas das três escadas tinham sido destruídas. Somente a escada A estava aberta, e os poucos sobreviventes do *lobby* a usaram para escapar, juntando-se às demais pessoas nos pisos inferiores.

2 Martha T. Moore e Dennis Cauchon, "Inches Decide Life, Death on the 78th Floor", *USA Today*, 3 set 2002. Disponível em: <http://www.usatoday.com/news/sept11/2002-09-03-floor-usat_x.htm>

3 Martha T. Moore e Dennis Cauchon, "Inches Decide Life, Death on the 78th Floor", *USA Today*, 3 set 2002. Disponível em: <http://www.usatoday.com/news/sept11/2002-09-03-floor-usat_x.htm>

Nosso lobby parece mais seguro por enquanto, embora um incêndio esteja se alastrando em algum ponto acima de nós. A grande quantidade de fumaça espessa e escura é evidência de um incêndio alimentado pela enorme quantidade de combustível, com chamas de temperaturas entre 700 e 760 °C. Ainda não sabemos o que causou o incêndio, ou mesmo o impacto inicial e a explosão, mas as vozes carregadas de adrenalina à nossa volta me fazem apertar o passo. A escada mais próxima de nós é a B. Ela fica bem no centro do lobby, entre os elevadores – os menores, que levam aos pisos superiores. Roselle para na porta da escadaria, como sempre faz. Posiciona seu corpo à esquerda da porta para que eu possa estender a mão e abrir. Seis ou sete pessoas se aproximam, mas ainda há espaço confortável para todos nós. Então, alternadamente, David, Roselle e eu tomamos os degraus. Roselle para no topo da escada. Por meio da guia, sinto que ela está olhando para mim em busca de orientação. Está calma, bastante tranquila. Eu me pergunto em que ela estaria pensando.

– Em frente – digo com confiança.

No entanto, minha mente começa imediatamente a vagar. *Em que estamos nos enfiando? Quantas pessoas já estão nessas escadas tentando sair do prédio ao mesmo tempo que nós? De quanto tempo vamos precisar para sair daqui?*

Minha mão direita segura o corrimão preso à parede enquanto a mão esquerda segura a coleira de couro e a alça da guia de Roselle. Ela pode relaxar um pouco agora. Seu trabalho neste momento consiste apenas em observar as pessoas em volta e me alertar se houver algum risco acima ou abaixo de mim.

Cachorros não costumam se preocupar muito com o que pode estar acima de suas cabeças. Por conta do olfato bem desenvolvido, eles tendem a levar o nariz ao chão e a decodificar o mundo de acordo com os cheiros frescos ou putrefatos. O treinamento dos cães-guias os prepara para olharem para cima e observarem qualquer coisa que possa atingir uma pessoa cega na parte superior do corpo, incluindo galhos, andaimes, caixas de correio, placas e saliências de veículos e edifícios.

No entanto, assim como as pessoas, os cães tendem a se deixar levar por hábitos rotineiros e pelo instinto. Então, quando minha guia ocasionalmente me deixa colidir com um arbusto ou com uma caixa de correio, faço uma pausa, ajeito-me novamente e peço para ela tentar outra vez. Em geral, os cães guiam perfeitamente na segunda vez e, com a repetição, entendem que precisam prestar atenção a alguma coisa que não perceberam na primeira tentativa.

Certa vez tive um cão-guia, um golden retriever chamado Holland, que era um verdadeiro brincalhão. Numa ocasião, enquanto eu andava por uma calçada com meus pais, ele me fez trombar várias vezes contra a mesma caixa de correio. Holland passou por debaixo da caixa de correspondências e minha mão bateu contra ela. Demos meia-volta e tentamos outra vez. Então, mais uma vez. Por volta da quarta tentativa, eu sabia que Holland estava fazendo aquilo de propósito. Talvez ele estivesse pensando que estava de folga. Da última vez, quando eu estava prestes a bater novamente na caixa de correio, soltei a guia e sacudi a coleira, puxando-o para perto de mim. Holland bateu a cabeça na caixa de correio. Eu quase consegui senti-lo pensando *Meu truque não está mais funcionando*. Na tentativa seguinte, ele me afastou para a direita usando o focinho, de modo que pudéssemos passar sem colidir com a caixa de correio. Problema resolvido.

Roselle, todavia, nunca fez nada desse tipo. Por mais que ela goste de se divertir, a guia causa uma verdadeira transformação em seu temperamento. Ela franze um pouco a testa e seu rosto ganha um aspecto de concentração intensa. Levanta-se com o corpo mais rígido, a cauda mais ereta e os músculos mais tensos conforme seus movimentos se tornam controlados e premeditados. Seus sentidos ficam extremamente alerta e, se ela tivesse uma antena, ficaria levantada. Roselle está pronta para ir aonde quer que eu ordene que ela vá. Está pronta para trabalhar.

Minha vida com cães começou muito tempo antes de eu receber meu primeiro cão-guia. Enquanto eu crescia, sempre tivemos cachorros em casa. Akeets era o collie dos meus tios, em Chicago. Como eles eram nossos vizinhos no mesmo prédio, era como se Akeets fosse meu também. Em Palmdale, tivemos Tramp e Soxie, depois Lady, e depois Rudy, uma basset. E finalmente tivemos uma miniatura de basset mal-humorada, um cãozinho batizado de Pee Wee. Então, conheci um tipo diferente de cachorro.

Meu pai estava lendo o jornal em uma tarde de domingo.

– Há uma nova professora na Edwards Air Force Base. Ela é cega – ele anunciou.

Meu pai trabalhava na base como engenheiro elétrico.

– Seu nome é Sharon Gold e ela foi contratada como professora para os filhos dos militares na base.

O artigo continuava e, em algum momento, mencionava o cão-guia de Sharon. Meus pais ficaram intrigados. Nós nunca tínhamos visto uma pessoa cega com um cão antes, e eles decidiram convidá-la para um jantar. Então, em um final de tarde de domingo, Sharon veio nos visitar com sua pastora alemã, Nola. Ela entrou, cumprimentou-nos e, em seguida, soltou Nola, deixando-a livre para brincar comigo no quintal dos fundos.

– Ela gosta de correr, Michael.

Nossa! E como gostava! Nola era uma típica pastora alemã: grande, intensa, cheia de energia. Levamos algum tempo para nos conhecermos e, alguns minutos depois, estávamos correndo juntos pelo quintal. Em certo momento, eu a segurei pelo pescoço para tentar aquela novidade de guiar o cachorro, e ela me arrastou pela grama. Acho que comi algumas plantas aquele dia. Sem a guia e ciente de que eu não tinha ideia do que estava fazendo ou de como usar os comandos de cães-guia, Nola estava sendo apenas uma cachorra extremamente brincalhona. Parecia claro que eu tinha muito a aprender.

Eu adorei Nola simplesmente porque ela era uma cachorra enorme e amigável. E adorei Sharon porque ela era inteligente, prestativa e, como eu, cega. Eu também estava curioso sobre a relação de Nola com Sharon e sobre como aquela parceria funcionava. Eu queria estar mais perto delas, então meus pais se tornaram bons amigos da professora e ela passou a vir jantar em nossa casa com frequência. Sharon percebeu meu interesse em Nola e logo começou a encorajar meus pais a considerarem a ideia de trazer um cão-guia para mim. Eles se mostraram abertos à ideia, já que não demoraria muito até que eu começasse a frequentar a Palmdale High School, uma escola maior e muito mais complexa do que aquela com a qual eu estava acostumado. A escola em que estudei durante o ensino fundamental era dividida em duas alas simples e, para mim, tornou-se fácil caminhar pelos corredores cobertos quando aprendi a "ouvir" as colunas de sustentação. No entanto, a escola onde eu estudaria durante o colegial era algo diferente, mais movimentada e em uma área muito maior e muito mais complicada.

Olhando para o passado, eu devia ter aprendido primeiro a andar com uma bengala. Mas, às vezes, as pessoas têm sensações complicadas em relação à bengala e a veem como um sinal de fraqueza ou de incapacidade. Ou até mesmo como uma barreira para se adequar à comunidade. Não sei se meus pais se sentiram assim ou não, mas eu não tive uma bengala antes de eu mesmo encomendar uma, anos mais tarde.

Conviver com Sharon foi uma experiência que mudou minha vida. Ela era a primeira pessoa cega que tive a oportunidade de conhecer bem. Além de interagir com um cão-guia e sua dona pela primeira vez, aprendi três outras coisas importantes. Em primeiro lugar, Sharon estava integrada à comunidade – era professora e não ficava presa em casa, tendo pena de si mesma e deixando outras pessoas tomarem conta dela. Ela tinha um emprego e era muito boa no que fazia. *Se ela pode, então eu também posso!* Em segundo lugar, percebi que havia vida além das ruas cheias de terra de Palmdale e eu sabia que queria ser parte daquilo. Por fim, percebi que havia muitas outras pessoas cegas no mundo. É claro que eu já sabia que não era o único cego do mundo, mas às vezes eu me sentia muito sozinho. Na infância, não tive muitos amigos. Não sei se isso foi bom ou ruim. Olhando em retrospectiva, é provável que tenha havido pontos positivos e negativos em crescer fora da comunidade de cegos, já que eu realmente não me via como cego. Talvez a integração tenha me forçado a encontrar formas novas e inovadoras de fazer as coisas para alcançar o sucesso. Mas, ao mesmo tempo, eu não tive o apoio e a amizade de outras pessoas como eu, mais sábias e muito mais experientes do que eu era naquela época.

Descobri que ia ganhar um cachorro certo dia, enquanto pulava corda na aula de Educação Física da 8ª série. Em geral eu não tinha muitas oportunidades de participar das aulas de Educação Física, mas por acaso eu era muito bom em pular corda.

Um homem se aproximou de mim e se apresentou:

– Olá, Michael. Sou Larry Reese da Guide Dogs for the Blind.

Eu fiquei tão em choque que deixei a corda cair. O senhor Reese tinha vindo diretamente da Guide Dogs for the Blind, em São Rafael, que fica a norte de São Francisco, em Marin Peninsula. Naqueles tempos, levava-se oito horas para ir de carro de São Rafael até Palmdale.

– Michael, estamos ansiosos para recebê-lo e conseguirmos um cão-guia para você – continuou Larry.

O quê?! Eu nem sabia que meus pais tinham se candidatado para arrumarem um cão-guia! Talvez eles não quisessem me decepcionar caso a resposta fosse negativa. Eu tinha apenas catorze anos, e a regra era ter no mínimo dezesseis para poder andar acompanhado de um cão-guia. Por algum motivo, a Guide Dogs abriu uma exceção para mim.

No final de junho, meus pais mandaram Ellery, meu irmão mais velho, para um acampamento de escoteiros e, então, me levaram até São Rafael, onde me deixaram na Guide Dogs for the Blind. Naquela época, a instituição era cercada por colinas verdes e terrenos não urbanizados no meio do nada. Enquanto passávamos de carro pela rua de pedras que levava ao local, eu me contorcia de empolgação. Durante a minha vida, eu tinha saído pouquíssimas vezes do sul da Califórnia, e aquilo tudo parecia uma enorme aventura. Eu não estava preocupado com a saudade que sentiria de casa – afinal, eu tinha sobrevivido a algumas limitações anteriores no acampamento de verão. Além disso, eu estava empolgado demais com a possibilidade de ter um cão-guia e, portanto, não havia tempo nem espaço para nervosismo.

Meus pais me deixaram na instituição em um domingo, e eu passei o dia explorando o terreno de onze hectares. Logo na entrada, ficava o prédio da administração. De um lado, havia um pequeno dormitório com oito quartos duplos. Do outro, estava o escritório do diretor executivo, além da sala de jantar, uma piscina e uma sala comum com uma pequena TV. Na parte de trás ficavam os canis.

As aulas começaram já no dia seguinte e eu era de longe o mais novo. A média de idade dos usuários de cães-guia é 51 anos. Estar cercado de tantos adultos me deixou ligeiramente nervoso e eu tive de aprender a me comportar. Certa manhã, fomos até a cidade para uma sessão de treino e seguimos para almoçar no Downtown Lounge, em São Rafael. Levantei-me e fui até o banheiro, mas deixei a porta aberta, como fazíamos em casa. Não acreditei que fiz aquilo, mas acho que, como eu não enxergava, acabei acreditando que as outras pessoas também não me enxergariam. Ou talvez eu fosse apenas um adolescente idiota. De qualquer forma, logo fiquei sabendo que minhas noções de como ir ao banheiro precisavam de um upgrade.

Uma coisa que eu adorava na Guide Dogs era o fato de todos os quartos terem um aparelho de som para os audiolivros, gravados em discos de vinil de doze polegadas. Quando eu não estava participando de aulas ou treinando passava meu tempo ouvindo livros desse jeito.

Nas aulas, aprendi que a Guide Dogs for the Blind começou com a ideia de usar cães em abrigos como guias para soldados que perderam a visão na Segunda Guerra Mundial. Blondie, uma pastora alemã resgatada da Pasadena Humane Society, tornou-se cão-guia do sargento Leonard Foulk, o primeiro militar a se formar na escola em 1941.

A primeira habilidade que desenvolvi no treinamento estava ligada aos trabalhos básicos com os pés. A Guide Dogs ensina por meio do treinamento Juno, com o treinador segurando a guia para simular o trabalho com um cão imaginário chamado Juno. O trabalho com os pés envolvia aprender a coordená-lo mantendo meu pé esquerdo ao lado da pata dianteira direita do cachorro. Isso pode soar bastante simples, mas não é tão fácil quando você não enxerga a pata dianteira direita do cachorro, nem o seu próprio pé. Também aprendi os comandos verbais e os sinais com a mão, descobri como usar adequadamente a coleira e a guia e como corrigir e elogiar um cão-guia. Nosso grupo também participou de aulas em que aprendemos técnicas básicas de treinamento e obediência, além de como manter nossos cães saudáveis e felizes.

Três dias depois, recebi meu cachorro. Havia um quê de alegria no ar na quarta-feira, também conhecida como Dog Day. Os treinadores tinham avaliado cuidadosamente cada uma de nossas personalidades (quieto ou cheio de energia? Paciente ou impetuoso?), nosso estilo de andar (rápida ou lentamente? Com passos pequenos ou grandes?) e nossa capacidade física (forte ou fraco? Jovem ou mais velho?). Além disso, eles estudaram o lugar onde morávamos (cidade grande ou pequena? Ambiente urbano ou rural?) e nossos estilos de vida (viaja com frequência ou costuma permanecer em casa?). Por fim, analisaram de perto onde costumávamos passar nosso dia a dia (prédios altos, salas de aula e corredores lotados ou um escritório tranquilo em casa?). Depois de pensarem cuidadosamente em todas as facetas da vida do cão e do humano, a Guide Dogs combinava cada um de nós com o cachorro que parecesse mais adequado. Os treinadores, que por sinal eram muito inteligentes, sabiam que eu precisava de um cachorro calmo e equilibrado, com paciência suficiente para lidar com um adolescente.

Na manhã do Dog Day, assistimos a uma palestra sobre cães, almoçamos rapidamente e fomos esperar em nossos quartos. Eu estava tão nervoso que não conseguia ficar parado tempo suficiente para ouvir um audiolivro para passar o tempo. Eu me sentava e me mexia, ficava de pé e andava de um lado para o outro, e a situação estava ficando insuportável. Meu colega de quarto se sentia da mesma forma. Finalmente, fui chamado até o gabinete do instrutor Bruce Benzler.

– Mike, sente-se devagar – disse ele. – Seu cachorro é o Squire. Squire é um golden retriever de aproximadamente 30 quilos. Quero que você seja paciente. Não diga nada. Vou deixar o cachorro entrar e veremos como ele reage ao vê-lo.

Benzler se levantou e caminhou até a porta. Ele a abriu e Squire entrou na sala. Veio em minha direção e começou a me farejar. Eu estava empolgadíssimo e minhas mãos coçavam para acariciá-lo, mas obedeci e fiquei ali sentado, parado. Squire me inspecionou por aproximadamente trinta segundos e, então, sentou-se ao meu lado e esperou.

– Parece que você encontrou um amigo – anunciou Benzler.

Dei um abraço em Squire. Meu coração estava pulando.

– Você pode levar Squire para o seu quarto agora – ele continuou. – Use a coleira e peça para ele acompanhá-lo. Então, aproveitem as próximas horas para se conhecerem.

Squire e eu voltamos para meu quarto. Eu me sentia flutuando com ele ao meu lado. Quando a porta se fechou atrás de nós, sentei-me e passei as horas seguintes conversando com Squire. Já tinha conhecido muitos cachorros na minha vida, mas nunca um cão tão maduro e bem treinado. Senti uma ligação imediata com Squire. Ele gostou de mim e parecia interessado em me conhecer. Nós simplesmente parecíamos ter sido feitos um para o outro.

Squire e eu desenvolvemos uma parceria e eu aprendi a ler a linguagem corporal dele a partir de sua guia; eu era quase capaz de dizer o que ele estava prestes a fazer antes mesmo de ele começar a fazer. Acho que ele também lia minha mente. Squire era muito mais do que apenas um animal de estimação. Ele era meu melhor amigo. Nós formávamos um time quando ele me guiava com segurança pelos corredores da Palmdale High School durante os quatro anos que se seguiriam. Ele aprendia muito rapidamente. Aprendeu a enfiar seu focinho molhado e gelado debaixo de uma ou duas minissaias quando se via diante de um grupo de garotas nos corredores lotados do colégio. Quando as garotas gritavam e pulavam para fora do caminho, meu irmão, Ellery, jurava que Squire chegava a abrir um sorriso. Suspeito que eu quase tenha recebido alguns tapas e tenho certeza de que recebi muitos olhares furiosos graças a ele.

Squire e nossa basset, Pee Wee, se deram muito bem e se tornaram conhecidos por desgastarem o carpete de nossa casa (a ponto de formarem faixas) ao correr para cima e para baixo. Os dois cachorros criaram uma brincadeira em que Pee Wee acelerava pelo corredor e Squire o seguia de perto. Quando os dois chegavam à sala de estar, Pee Wee curvava seu longo e estreito corpo como uma mola e pulava no sofá. Squire pulava logo em seguida e empurrava Pee Wee para fora, colocava aquele corpo de salsicha com as costas para baixo e mordiscava a barriga, lançando um rosnado brincalhão durante toda a brincadeira.

Eu sei que Pee Wee deve ter sentido falta de Squire quando meu cão-guia foi comigo para a faculdade. Depois de alguns anos comigo na Universidade da Califórnia, em Irvine, Squire foi ficando velho e cansado. Ele tinha onze anos e já não conseguia manter o ritmo comigo. A pior coisa dos cães-guia é o fato de eles não nos acompanharem por muito tempo. Um cão-guia comum costuma trabalhar até os nove ou dez anos de idade, porque guiar é uma tarefa física e emocionalmente estressante para o cão. Eu amava Squire e acho que a relação com o primeiro cão-guia é parecida com a primeira vez em que você se apaixona. Squire ocupou um lugar especial em meu coração. Para sempre. Mas chegou sua hora de se aposentar e ele voltou para Palmdale, para viver com meus pais e com seu amigo Pee Wee. Squire viveu até os catorze anos, idade considerável para um golden.

Depois que Squire se aposentou, voltei para São Rafael e a Guide Dogs for the Blind encontrou um segundo golden retriever para mim, chamado Holland. Ele era um cão-guia ótimo e bastante controlado. Acompanhou-me durante os anos de pós-graduação e durante meus primeiros anos trabalhando. Tentei tirar vantagem de suas qualidades que atraíam as garotas, mas na maioria das vezes as mulheres estavam interessadas apenas no cachorro, e não em mim.

Depois de Holland, tive outro golden, chamado Klondike. Ele me guiou durante grande parte da minha vida profissional. Klondike tinha um sistema digestivo um tanto quanto agitado e às vezes preenchia a sala de conferência com um – como eu poderia dizer isso sem soar vulgar demais? – aroma pungente. Aquilo não me chateava. Aliás, percebi que Klondike mantinha minha força de vendas acordada e alerta.

Linnie veio em seguida, uma labradora retriever com pelagem de um dourado claro. Era uma cachorra maravilhosa. Sempre que alguém a tocava, ela parava, caía no chão e se virava para receber carícias na barriga. Certa vez, passamos pelo ator Peter Falk em um lounge de aeroporto e ele passou dez minutos de joelhos no carpete, acariciando a barriga dela.

– Linnie, eu não posso passar a noite toda sentado aqui – ele resmungou com aquela voz grave e, em seguida, abriu um sorriso enorme.

Linnie tinha um sexto sentido com relação às pessoas. Em aglomerações, ela sempre seguia espontaneamente em direção a quem precisava de atenção. Linnie teria sido uma ótima cachorra para ser usada em terapia. Sua carreira como cão-guia chegou ao fim abruptamente quando ela contraiu a doença de Lyme após ser picada por um carrapato. Aposentou-se em 1999, apenas três anos após começar a guiar, e Karen e eu a mantivemos como animal de estimação. Linnie tornou-se um membro muito amado de nossa família.

Depois de Linnie, passei seis meses sem cão-guia, usando uma bengala para andar por Nova Jersey e pela cidade de Nova York, inclusive no World Trade Center. As calçadas de Nova York são movimentadas e eu gastei muito dinheiro trocando de bengalas, porque as pessoas não prestam atenção por onde andam.

Então, em novembro de 1999, Roselle entrou em nossas vidas. Eu me vi de volta em São Rafael, na Guide Dogs for the Blind, naquele mesmo gabinete, esperando para ser apresentado a uma nova cão-guia. Embora aquela fosse minha quinta vez na Guide Dogs, eu estava tão nervoso e empolgado quanto na primeira ocasião, 35 anos antes. A única forma de descrever a sensação de esperar por seu cão-guia seria compará-la a estar na igreja com seu smoking, esperando para ouvir o órgão tocar a "Marcha nupcial" e ver sua noiva atravessar o corredor. Sua vida não será mais a mesma, e você não ficará mais sozinho.

Quando o supervisor do treinamento a deixou entrar no escritório para me conhecer, ela foi um pouco intrometida. Roselle me farejou por completo e então farejou todo o ambiente.

– Bem, chame-a e veja se ela vai até você – sugeriu o supervisor.

Roselle lentamente se aproximou. Então, parou e sentou-se ao meu lado, e ficou ali sem se mover. Eu a levei de volta até o quarto e conversei com ela por algum tempo. Acariciei Roselle e brinquei com ela, para que tivéssemos chance de nos conhecermos. Rapidamente percebi que sua personalidade tinha dois lados. Roselle era muito calma e quieta quando estava trabalhando; no entanto, quando a coleira saía, ela se tornava bastante travessa. Ela gostava de roubar minhas meias e de carregá-las em sua boca até encontrar um lugar para escondê-las. Porém, ela nunca as comia. Também percebi que ela roncava. Como um urso-pardo.

Roselle foi criada por Ted e Kay Stern, um casal aposentado de Santa Barbara, na Califórnia, que a pegaram enquanto ainda era uma bolinha amarela e felpuda de quatro meses com um brilho travesso nos olhos. Os Stern deram a Roselle, em casa, os primeiros dez meses de treinamento de obediência e a habituaram ao maior número de ambientes possíveis, incluindo uma visita à cidade de Nova York durante a temporada de Natal. O ritmo agitado da vida urbana não pareceu perturbar Roselle enquanto os Stern visitavam restaurantes lotados, metrôs barulhentos e calçadas movimentadas.

Kay lembra que, durante os meses que Roselle passou em sua casa, ela dava indícios de que seria corajosa e brincalhona.

– Ela costumava roubar meus chinelos do armário e correr por toda a casa, tentando brincar de esconder – conta Kay. – Ela adorava brincar de esconde-esconde com a gente e eu adorava seu belo sorriso canino. Ela às vezes testava os limites e tentava fingir que não se lembrava de suas lições. Roselle era um filhote muito inteligente.

Eles também afirmaram se lembrar dos roncos de Roselle, particularmente na igreja.

Quando voltamos para Nova York, Roselle e Linnie se tornaram amigas rapidamente. Sempre que eu trabalhava no porão de nossa casa em Nova Jersey e precisava dar um intervalo, pegava um daqueles ossos de corda e brincava de cabo de guerra com as cachorras. Elas me puxavam por todo o porão em minha cadeira de rodinhas, lançando-me contra paredes e pilares. Era algo parecido com um pinball humano em que, é claro, eu era a bola.

Dois dias depois de ter chegado em nossa casa, Roselle me acompanhou pela primeira vez até o trabalho no World Trade Center. Inicialmente, passamos muito tempo explorando os corredores do prédio, os lobbies e o centro de compras subterrâneo. Trabalhei duro para ter certeza de que ela não esperasse sempre seguir o mesmo caminho para chegar a um local específico dentro do edifício. Sempre senti que era importante que Roselle não antevisse meus comandos, algo que pode facilmente acontecer dentro de um espaço fechado como o do World Trade Center. Roselle e eu formávamos um bom par, e sempre estávamos prontos para uma aventura.

No entanto, minha aventura no 11 de Setembro incluiria riscos altíssimos.

Enquanto Roselle e eu seguimos juntos pelos primeiros andares de concreto da escada B, começo a sentir um odor peculiar. Um odor que me lembra o cheiro das lanternas de querosene do acampamento de escoteiros. No início, todavia, não é forte. É apenas leve. *Que cheiro será esse?* Roselle também deve estar sentindo, mas não dá nenhum sinal.

Nosso grupo desceu mais alguns degraus. A temperatura na escada é confortável, nem quente demais, nem fria demais. A eletricidade está funcionando e o ar é respirável. *Mas esse cheiro...*

Então eu me dou conta. Na posição de representante de vendas, já tive a oportunidade de viajar por todo o mundo e já estive em muitos aeroportos. *Eu conheço esse cheiro. Eu já senti esse cheiro em pistas de decolagem. Posso jurar que é o cheiro de combustível de avião.*

Não digo nada ainda, mas minha mente começa a juntar as peças do quebra-cabeça. *Será que um avião se chocou com o nosso prédio?*

capítulo 4

Ouvindo a mesa de café

"Eu me pergunto se alguma outra pessoa tem um ouvido tão afiado e aguçado quanto o meu para detectar música; não a música das esferas, mas a música da Terra, as sutilezas dos acordes maiores e menores que os ventos criam ao bater nos arvoredos. Você já ouviu a terra respirar?"

KATE CHOPIN

Inicialmente, a escada não parece lotada. As pessoas estão quietas, focadas. Ninguém está em pânico. Nós só queremos sair.

Degraus costumam ser algo muito simples. Se eu posso andar de bicicleta ou dirigir um carro, certamente posso descer uma porção de degraus.

Quando posso, desço segurando o corrimão de metal à minha direita. O corrimão segue bem ao lado da parede de concreto e me transmite uma frieza quando eu o toco. À esquerda, há outro corrimão, esse sustentado por balaústres de metal. À minha esquerda, Roselle marcha de acordo com meu ritmo. Minha mão permanece em sua guia. David está um pouco à frente. Nossa escada tem aproximadamente 1,4 metro de largura, cerca de trinta centímetros mais larga do que as outras escadas. Esse espaço adicional permite que duas pessoas as desçam, uma ao lado da outra. Em alguns momentos, desviamos e, usando o lado esquerdo, ultrapassamos algumas pessoas; outras vezes as pessoas nos ultrapassam. Passo Roselle de um lado para o outro, conforme necessário. Todos são educados, mas se mantêm concentrados.

Cada andar tem dezenove degraus divididos em dois blocos. O primeiro bloco tem dez degraus. Logo abaixo, há um patamar com um ângulo de 180 graus e, em seguida, nove outros degraus. Não costumo contar os degraus. Em geral, parar e me informar de que cheguei ao topo ou à base de um lance de escadas é trabalho do cachorro. No entanto, dessa vez passo a contá-los para ter algo a fazer.

Não estou apenas contando os degraus, estou também ouvindo com atenção. Meu nível de adrenalina está alto e eu me sinto muito alerta, com todos os meus sentidos aguçados. Conforme sigo, esforço-me para ouvir e decodificar até mesmo o mais leve dos ruídos emitido pelo prédio. Ele está me contando uma história, e não quero deixar passar o que ele tem a dizer.

Parte dessa história é o que eu *não* estou ouvindo. Não ouvi mais explosões. Nenhum alarme de incêndio soou. Nenhum anúncio de emergência saiu do sistema de comunicação interna. Nenhuma equipe de emergência apareceu para nos dizer o que está acontecendo. E ninguém está dando telefonemas. Os telefones celulares são tão onipresentes que já faz parte de nossa cultura ouvir pessoas "falando sozinhas" à nossa volta em quase todos os lugares. Porém, os celulares não funcionam bem em nossa caverna de aço e concreto. Então, conforme descemos, tudo está quase em silêncio.

A falta de sinal nos celulares também significa que não estamos recebendo notícias vindas de fora. É como se estivéssemos em uma bolha, isolados do que quer que exista em cima, embaixo e do lado de fora. Nesse momento, meu mundo é composto só de degraus. Dez degraus, uma volta, nove degraus. Outra vez. E outra vez.

Tudo parece irreal. Não consigo acreditar que há apenas poucos minutos eu estava preparando uma apresentação que seria realizada na sala de conferências. Agora estamos praticamente fugindo. Porém, sempre que me sinto em uma situação de desconforto, ouço Roselle. As almofadas de suas patas amortecem seus passos e, como mantenho suas unhas curtas, ela caminha silenciosamente. No entanto, posso ouvir sua respiração. Embora estejamos descendo as escadas há apenas alguns minutos, Roselle já está começando a arfar. A temperatura é confortável, então ela não está arfando por causa do calor, mas por causa do esforço para se manter concentrada no trabalho.

Os humanos costumam ficar mais frios conforme o suor evapora pela superfície da pele. Os cães, todavia, têm menos glândulas sudoríparas, que localizadas nas almofadas dos pés e nas orelhas, têm um papel menor no resfriamento. Em vez de se apoiarem nas glândulas sudoríparas, os cães arfam para resfriar o sangue que circula pelos principais vasos sanguíneos da cabeça - vasos que, por sinal, passam perto do focinho. A superfície da língua também promove o resfriamento por meio da evaporação da saliva do animal. Roselle não está nervosa, só está com calor. Está fazendo seu melhor, andando com confiança e no passo mais acelerado possível.

O cheiro de combustível é forte em alguns patamares. Quando eu o senti pela primeira vez, era apenas um sinal, um sussurro do perigo. No entanto, agora ele parece mais pesado e mais forte, um fedor tóxico que começa a se afundar em minha garganta e em meus pulmões. Engulo saliva e a sensação é a de estar tomando um shot de querosene. Meus olhos também estão começando a arder. Roselle treme um pouco mais. *Sei que ela também está sentindo isso.*

Há um motivo para estarmos inalando vapores de combustível de avião na escada B. Mais tarde descobriremos que, quando o Boeing 767 atingiu nosso prédio, ele carregava 10 mil galões de combustível, a maior parte desse volume nos tanques das asas. A aeronave colidiu com o lado norte da torre e destruiu vários andares enquanto espalhava combustível. As gotículas se transformaram em vapor, formando uma mistura que explodiu e entrou em combustão "pelo enorme calor da fricção, pelas faíscas geradas pelos pedaços de aço, pelas partes aquecidas do motor e, acima de tudo, por curtos-circuitos nos fios da Torre Norte [...]. A força da explosão foi tão intensa que as partes da aeronave foram arremessadas para outro lado da torre. Depois do impacto, os pedestres aturdidos em uma rua próxima do World Trade

Center se viram em volta de um enorme cilindro de metal amassado. Foi necessário um intervalo de tempo para eles perceberem que estavam olhando para o motor de uma aeronave".[1]

Embora o impacto tenha gerado uma enorme explosão, nem todo o combustível da aeronave foi consumido. Então, parte desse líquido escorreu dos tanques em direção aos andares inferiores, formando um filme de combustível que cobria as escadas, os escritórios, os poços de elevadores "em uma velocidade superior a 160 km/h. Cortinas, tapeçaria e carpetes ficaram encharcados, tornando-se verdadeiros pavios."[2]

Os vapores flutuam pelas correntes de ar do edifício e chegam ao sistema de ventilação. Na escada, todos agora conseguem sentir o cheiro. Sou o primeiro a dizer em voz alta:

– Acho que é combustível de avião. Talvez uma aeronave tenha se chocado com o nosso prédio...

As pessoas à nossa volta conversam sobre o assunto, tentando descobrir o que aconteceu. Especulamos que talvez tenha havido alguma espécie de colisão no ar, fazendo a aeronave ser lançada contra o nosso prédio. Mas ninguém sabe ao certo.

Na verdade, essa não é a primeira vez que um avião colide com um arranha-céu de Nova York. Em 1945, um bombardeiro B-25 se chocou com o Empire State Building, o edifício mais alto do mundo na época. O piloto, um veterano condecorado com mais de cem missões de combate, confundiu-se em meio à espessa neblina e bateu contra o 79º andar a 320 quilômetros por hora. Por um golpe de sorte, o acidente aconteceu numa manhã de sábado, sem muitas pessoas no edifício. Ainda assim,

1 Stefan Aust e Cordt Schnibben (eds.). "Inside 9-11: What Really Happened". In: *Der Spiegel*. Nova York: St. Martin's Press, 2002. p. 50.

2 Stefan Aust e Cordt Schnibben (eds.). "Inside 9-11: What Really Happened". In: *Der Spiegel*. Nova York: St. Martin's Press, 2002. p. 50.

catorze pessoas morreram, além do piloto e dois passageiros. Os danos foram enormes: o bombardeiro cravou um buraco de cinco por seis metros na construção, lançando destroços da aeronave por todas as partes e estilhaçando janelas. Além disso, quando o avião colidiu, seus tanques de combustível explodiram e deram início a um incêndio no 79º andar.

Assim como no World Trade Center, os sobreviventes do Empire State Building usaram as escadas, e alguns deles desceram 70 lances de escada para sair. No entanto, as equipes de resgate também usaram os elevadores que ainda funcionavam durante a evacuação do prédio. Uma das histórias de pessoas que sobreviveram por um milagre é a da ascensorista Betty Lou Oliver, que foi arremessada para fora do elevador com o impacto da aeronave. Ela teve queimaduras gravíssimas, mas logo recebeu os primeiros socorros e foi colocada em um elevador diferente, e então seguiu descendo até uma ambulância que a esperava. O desastre ocorreu quando os cabos do elevador, enfraquecidos pela colisão, romperam-se e ele caiu trinta metros até o porão. Por mais estranho que pareça, Betty sobreviveu e foi resgatada quando as equipes de resgate fizeram um buraco no elevador para retirá-la.[3]

O Empire State Building sobreviveu à colisão e ao incêndio e o belo e antigo arranha-céu continua lá. No entanto, tenho certeza de que o buraco em nosso prédio deve ser muito maior do que cinco por seis metros.

Uma aeronave se chocou com a torre? Por quê? Como isso poderia acontecer?

A tempestade já foi embora há muito tempo e 11 de setembro é um dia claro de outono, sem neblina. Com instrumentos e controle de tráfego aéreo, nenhuma aeronave deveria sequer chegar perto do World Trade Center. *O que está acontecendo?*

3 William Roberts, "Plane Hits Building: Woman Survives 75-Story Fall", *Elevator World*, 1º mar. 1996. Disponível em: <http://www.elevator-world.com/magazine/archive01/9603-002.htm>.

Conforme descemos as escadas, o barulho da explosão inicial reverbera em minha mente. A multidão é tão grande que muitos dos ecos que costumo ouvir enquanto vou de um piso a outro são abafados ou simplesmente desaparecem. As paredes da escada são as barreiras do nosso mundinho. Embora nossos sentidos estejam em alerta total, dentro de nosso casulo parece natural, quase hipnótico, continuar descendo dez degraus, dar uma volta e continuar descendo.

Embora aquela situação fosse incomum, descer pelas escadas não era exatamente um desafio. No entanto, aprender a andar de bicicleta sendo cego foi. Quando eu tinha por volta de 6 anos, uma garota chamada Cindy Loveck se mudou para nossa vizinhança no verão. Os Loveck moravam do outro lado da rua, algumas casas para baixo, e Cindy e eu nos tornamos amigos. A garota tinha uma bicicleta grande e andava com ela pelas ruas na nossa cidade desértica chamada Palmdale.

Certo dia, ela ofereceu a bicicleta pra que eu experimentasse a sensação de andar. Não hesitei. Depois de várias tentativas – que incluíram uma série de quedas e arranhões –, finalmente aprendi a me equilibrar sobre duas rodas.

No entanto, quando aprendi a andar de bicicleta, tive de descobrir como evitar obstáculos, e então passei a usar os truques que eu tinha descoberto enquanto dirigia meu carrinho durante a infância. Assim como aprendi a ouvir a mesinha de café, aprendi a ouvir os carros estacionados e a evitá-los enquanto andava de bicicleta pelas ruas.

– Você costumava deixar sua boca entrar em ação assim como faz o morcego. E então ouvia o retorno – dizia meu irmão mais velho, Ellery.

Além disso, o eco gerado pelos pneus da bicicleta rolando pela rua me oferecia informações inestimáveis quando eu me aproximava de carros e de outros objetos. Ninguém me ensinou a ecolocalização; eu aprendi tudo sozinho.

Meus pais sempre me encorajaram a sair e brincar com as outras crianças da rua e nunca me impediram de experimentar coisas novas. Eu logo aprendi a andar com a bicicleta de Cindy. Meus pais então compraram uma bicicleta para mim e eu a pedalava durante horas todos os dias. Adorava a sensação de liberdade e de ter controle.

Um dia, cheguei em casa depois de andar de bicicleta e meu pai estava ao telefone.

– Bem, ele estava apenas andando de bicicleta – disse ele. Havia um tom incisivo em sua voz. Então, uma pausa.

– Ele bateu em alguma coisa? – Pausa. – Então qual é o problema?

Meu pai desligou. Gostaria de dizer que ele não bateu o telefone, mas devo afirmar que definitivamente desligou com força.

O que aconteceu foi que uma vizinha telefonou para informar meu pai de que seu filho ("não o garoto mais velho, que enxerga, mas o mais novo, que é cego", disse ela) tinha sido visto andando de bicicleta pelas ruas. Acho que a vizinha bem-intencionada pensou que meus pais deveriam ficar sabendo. No entanto, da mesma forma que meus pais ignoraram as recomendações dos médicos de me mandar para uma escola para cegos, eles ignoravam comentários como aqueles. Ninguém na minha família me tratava como um deficiente. Eles esperavam que eu vivesse minha vida. E foi exatamente isso que eu fiz.

Quando finalmente dominei a arte de andar de bicicleta com a ajuda da ecolocalização, passei a me aventurar em outras áreas de Palmdale, uma cidade de aproximadamente 2 mil habitantes. Ainda consigo me lembrar do mapa da nossa parte da cidade. No centro da minha imagem mental está nossa casa, no número 38 710 da Stanridge Avenue. A casa ficava entre Third Street e Glenraven Street. Entre as ruas, corriam as avenidas, cada uma tendo uma letra do alfabeto e um número como nome. As avenidas ficavam separadas por aproximadamente 1,5 km. Nossa casa estava entre a avenida Q e a avenida Q3, embora estivesse mais perto da Q. Então, estávamos entre Q e Q3 no sentido norte-sul, e entre Third Street e Glenraven Street no sentindo leste-oeste.

Embora eu soubesse andar muito bem por aquelas ruas, não foi apenas uma vez que cheguei em casa e ouvi um dos meus pais ao telefone, escutando a história de que seu filho cego estava andando de bicicleta desacompanhado pela vizinhança. As ligações sempre terminavam com os vizinhos desligando frustrados. Meus pais nunca cederam e eles finalmente se acostumaram à ideia de um garoto cego andar de bicicleta e à "falta de atitude" de meus pais. Enfim, pararam de telefonar.

Sou parte de uma linhagem de pessoas teimosas e autoconfiantes. Também não posso acreditar em outra coisa, senão que a persistência de meus pais serviu para educar um pouco meus vizinhos a respeito do que pessoas cegas podem fazer. A atitude de "é possível" do meu pai teve uma enorme influência sobre mim. Seu nome era George Hingsone, e ele nasceu no ano de 1914, em Dewey, Oklahoma. Um homem quieto, que tinha frequentado a escola primária e saído de casa aos doze ou treze anos. O motivo eu nunca soube. Para se sustentar, foi trabalhar pastoreando ovelhas na divisa dos estados de Idaho e Montana, nas montanhas de Bitterroot, uma subcadeia das Montanhas Rochosas. É uma imensidão bela e imaculada, com picos escarpados e desfiladeiros íngremes esculpidos por geleiras. No entanto, não é fácil para um jovem viver em ambientes abertos durante meses, sem uma casa ou uma família. Grandes animais crescem na área, o que significa que também existem predadores. Então, o trabalho do meu pai consistia em proteger rebanhos de ovelhas de lobos, linces e leões-da-montanha. Ele costumava nos contar uma ocasião em que acidentalmente cortou o polegar com um machado e, então, precisou enterrá-lo na neve por três dias antes de ser capaz de ir a algum lugar onde os médicos pudessem realizar uma cirurgia para costurar o dedo novamente. Eu nunca vi a cicatriz, mas ele não conseguia dobrar o dedo na altura da primeira articulação. Portanto, também pude ver que até mesmo meu pai, o cara durão que sempre me defendeu, sofreu acidentes.

Mais tarde, passou a trabalhar como caubói e foi parar no estado de Washington. Lá, finalmente percebeu que não queria perseguir rebanhos pelo resto da vida e, então, com vinte e poucos anos, alistou-se no exército. Serviu na Terceira Divisão de Infantaria, que atuou no norte da África, na Itália, na Sicília e no sul da França durante a Segunda Guerra Mundial. Ele era parte do Corpo de Sinaleiros, uma divisão do serviço responsável por todas as informações militares e sistemas de comunicação. Algumas das realizações do grupo Sinaleiros durante a Segunda Guerra Mundial incluíam o desenvolvimento do radar e da rádio FM para uso militar. O Corpo de Sinaleiros também desenvolveu o primeiro rádio-mochila FM, permitindo que as tropas da linha de frente se comunicassem de forma confiável e sem estática, graças aos circuitos de modulação de frequência. Seu treinamento militar em eletrônica se mostraria muito útil quando ele retornasse aos Estados Unidos.

Enquanto serviu em outros países, meu pai se tornou amigo de um homem chamado Sam Keith. A esposa de Sam, Ruthie, escrevia cartas para seu marido e, com frequência, enviava também fotografias de amigos e familiares. Um dia, George por acaso viu uma foto da irmã de Ruthie, Sarah. Ela era uma mulher magra, loira e bonita. George estava ferido e perguntou a Sam se haveria algum problema em escrever para Sarah. Sam não viu problemas e um romance nos tempos de guerra floresceu em envelopes de bordas vermelhas e azuis amassados.

Sarah Stone não era uma mulher comum. Independente e inteligente, Sarah nascera na cidade de Nova York. Tinha cursado o colegial, adorava ler e tinha conquistado a licença para trabalhar como esteticista. Já se sustentava, num tempo em que poucas mulheres faziam isso. Tinha vivido e trabalhado tanto em Nova York quanto na Califórnia e, finalmente, foi parar em Chicago. Sarah e George se deram bem e, quando a guerra chegou ao fim, ele foi direto para Chicago, onde se casou com ela em novembro de 1945. Essas duas pessoas fortes e independentes se apaixonaram e tiveram um casamento feliz de quase quatro décadas graças ao Tio Sam – o país e o homem.

Meus pais foram morar em um apartamento na zona sul de Chicago. Minha tia Ruth e meu tio Sam, colega do meu pai dos tempos de guerra, viviam em um apartamento ali perto. Ao lado da casa de Ruth e Sam, viviam o irmão de minha mãe, Abe, e sua esposa, Shirley. Éramos uma família unida. E ainda somos.

Meu pai e meu tio Abe foram os primeiros a abrir uma empresa de reparos de televisão, ainda quando as TVs eram aparelhos raros e caros. Como as pessoas investiam cerca de duzentos e trezentos dólares em suas televisões (algo entre 1500 a 3000 dólares hoje), elas estavam dispostas a gastar dinheiro para mantê-las funcionando. Meu pai e meu tio encontraram uma boa forma de ganhar dinheiro.

Meu irmão, Ellery, nasceu em 1948. Eu nasci dois anos depois, em 24 de fevereiro de 1950, no Mount Sinai Hospital, em Cook County, Chicago. Nasci dois meses prematuramente e pesava apenas 1,4 quilo. Minha mãe sempre disse que eu fui um apressadinho querendo chegar logo ao mundo.

No dia em que nasci, Chicago estava enfrentado uma enorme tempestade de neve, então minha mãe me deu um nome comemorativo: Michael Blizzard Hingson.

Blizzard é uma combinação de neve pesada e ventos fortes, ou seja, a palavra pode se referir às condições encontradas durante uma nevasca. Em dias assim, neve e gelo refletem a luz recebida e os objetos pontos de referência e sombras já não são discerníveis. Terra e céu se mesclam e o horizonte se transforma em um nada esbranquiçado. Essas condições podem deixar uma pessoa temporariamente cega. Infelizmente, minha cegueira não seria temporária.

Quando nasci, meu tio Abe e minha tia Shirley desafiaram a tempestade de neve e me visitaram no hospital quando eu tinha apenas dois dias.

– O furacão foi intenso – minha tia me contava. – Era impossível enxergar as coisas à nossa frente.

Naqueles tempos, os bebês eram mantidos atrás de um vidro.

– A enfermeira te pegou e te trouxe mais perto, para que nós pudéssemos vê-lo – contava tia Shirley. – Você era muito, muito pequeno. Parecia um pintinho com uma cabeça enorme. Eles te mantiveram na incubadora para que seus pulmões pudessem se desenvolver e você ficou no hospital por dois ou três meses.

– Quando veio para casa – ela continuava, – a família pensou que você talvez tivesse catarata, já que um dos seus olhos tinha um aspecto ligeiramente envidraçado. Acompanhei Sarah ao consultório de todos os médicos que você possa imaginar para ver o que poderia ser feito.

Enquanto isso, eu ganhava peso e parecia normal em todos os outros aspectos. Um dia, entretanto, tia Shirley percebeu algo incomum. Ela estava tomando conta de mim enquanto meus pais e meu irmão Ellery faziam uma viagem à Califórnia.

– Na segunda manhã – ela dizia, – troquei suas fraldas e o deixei arrumado. Preparei seu mingau do café da manhã, peguei você em meus braços e nos sentamos à mesa. Havia três enormes janelas com persianas ali perto. O sol estava entrando tão forte que eu o peguei novamente e me levantei para fechar as persianas. O sol brilhou contra o seu rosto, bem em seus olhos, e você não piscou. A luz simplesmente não te incomodava.

Tia Shirley terminou de me alimentar e então me colocou no berço. No entanto, ela estava assustada com o que tinha acontecido. *Será que Michael é cego?* Ela correu até a casa ao lado para contar aquilo à minha tia Ruthie e, quando meus pais voltaram, também contou a eles. Quando eu tinha seis meses, o médico finalmente deu o diagnóstico: eu era cego e era algo irreversível. Meus pais deram a notícia à família e todos choraram. Brevemente. E, então, passaram por cima desse fato.

Desde o início, fui tratado da mesma forma que meu irmão. Também tive meus primos em volta para ajudar a me manter humilde. Tia Ruth e tio Sam tiveram dois garotos, Steve e Robin. Tio Abe e tia Shirley tiveram duas filhas, Holly e Dava. Todos os primos brincavam juntos no quintal atrás dos apartamentos, e eu podia participar das brincadeiras com eles, mesmo sendo ainda bem jovem. Meus pais confiavam na gente, e tínhamos autorização para explorar a vizinhança sem a supervisão de adultos. Com Ellery e meus primos, eu costumava ir à loja de doces, onde sempre comprava palitinhos de chocolate e refrigerante de laranja. Às vezes, eu segurava na mão de alguém daquele jeito distraído característico das crianças. Outras vezes, eu seguia atrás. De vez em quando eu guiava. Eu sempre encontrava uma forma segura de chegar aonde queria sem ajuda, e meus primos não ligavam muito para isso – e eu tampouco me importava.

– Eu sempre soube que você era cego – afirmou minha prima Dava Wayman. – Mas nunca pensei em você como uma pessoa diferente. Você fazia tudo o que meus outros primos faziam. E era tratado como qualquer outra criança. Nada podia segurá-lo.

Meu irmão mais velho costumava correr atrás de mim pelo apartamento, sem se preocupar muito com minha idade ou com o meu tamanho. Ele colocava meu carrinho adorado estrategicamente no caminho e depois corria atrás de mim até que eu trombasse com o brinquedo.

De vez em quando, eu acompanhava meu pai durante as visitas para fazer reparos em aparelhos de TV. E eu adorava visitar a loja! Certo dia, coloquei minha mão dentro de uma TV ligada e tomei o maior choque da minha vida. Meu pai usou a experiência para me dar a primeira lição básica de eletricidade: nunca use as duas mãos para tocar um circuito com corrente. Sempre mantenha uma mão no bolso para evitar tomar um choque com a corrente elétrica. Depois disso, eu estava seguro perto de televisões abertas e funcionando.

Quando meus pais me matricularam para que eu cursasse o jardim de infância na Perry School, em 1954, eles queriam que eu aprendesse braille para poder ler e escrever. Naquela época, as escolas públicas não ofereciam aulas especializadas, mas meus pais, unidos a um grupo de pais de outras crianças nascidas prematuras e cegas, insistiram tanto que a escola acabou contratando uma professora de braille. Comecei a aprender o alfabeto. Pratiquei escrevendo em uma máquina de escrever em braille, um instrumento especial, parecido com uma máquina de escrever manual. Aprendi rapidamente e, no final do ano letivo, já conseguia ler e escrever em braille em um nível básico.

Depois do jardim da infância, fizemos as malas e mudamos para Palmdale, Califórnia, a cerca de cem quilometros de Los Angeles, no Antelope Valley. Meus pais tinham vontade de viver no "estado do ouro", e meu pai conseguiu um emprego como engenheiro na Air Force Plant 42, uma instalação do governo que posteriormente passou a ser operada pela Lockheed Martin.

Porém, em minha nova escola na Califórnia, eu era a única criança cega e, por vários anos, não tive um professor de braille. Estava à mercê dos meus professores e dos meus pais, que tinham de ler minhas lições de casa para mim. Enquanto as outras crianças pintavam, desenhavam ou trabalhavam em outros projetos visuais, eu esperava. E esperava.

Meus pais sabiam que eu era inteligente e trabalhavam para desenvolver essa inteligência em casa. Meu pai tinha praticamente se educado sozinho, aprendido a mexer com eletrônica e com engenharia elétrica por si próprio e em alguns cursos técnicos dos quais participou ao longo do caminho. Eu provavelmente aprendi muito mais com meus pais do que na escola naqueles primeiros anos.

Meu pai me ensinou a fazer cálculos mentais quando eu tinha seis anos. Eu não apenas chegava às respostas dos problemas, mas também sabia por que tinha chegado àquela resposta. Minha mãe trabalhava comigo em outras tarefas e, como a maior parte do meu aprendizado acontecia em casa, eu costumava ficar entediado na escola. Os professores não conseguiam me envolver nas atividades porque eu não podia ler os materiais impressos ou enxergar diagramas e imagens. Não havia livros para mim e eu era geralmente deixado de lado. Por conta disso, acabava me sentindo desligado e separado das demais crianças e costumava ir até a janela e ficar ali, ouvindo o que acontecia do lado de fora.

Um dia, durante a aula, a professora pediu que fizéssemos um desenho. Eu fiquei sentado com uma folha de papel em branco enquanto as outras crianças me ajudavam. Pedi várias vezes aos colegas na minha mesa que me ajudassem, mas eles estavam ocupados demais com seus próprios desenhos. Por fim, um garoto se irritou comigo, pegou minha folha de papel e a amassou. Jogou-a na minha frente e disse:

– Pare de nos chatear!

Eu entendi a mensagem. Aquela foi a primeira vez que a minha condição de ser cego provocou algum tipo de hostilidade.

Fora da escola, Palmdale era um lugar estimulante para um garoto crescer. A Edwards Air Force Base, perto da cidade, era o campo de teste para aviões militares supersecretos com Chuck Yeager e os demais caras da The Right Stuff quebrando a barreira do som e criando estrondos sônicos fantásticos.

Inicialmente, passei a vagar pela vizinhança quieta com minha mãe e meu irmão, mas não demorou muito até eu começar a caminhar pelas ruas totalmente sozinho. Fiz de encontrar o caminho de volta para casa uma espécie de jogo. Aprendi que cada via tinha diferenças pequenas, porém detectáveis, em elevação, comprimento e número e formas das ranhuras. Nossa rua era um pouco mais longa e mais plana do que as outras, e eu aprendi a sentir e ouvir as diferenças na inclinação. Em um mundo perfeito, eu teria aprendido a usar uma bengala a essa altura. Mas eu não conhecia outras pessoas cegas e não sabia nada sobre bengalas. Então, em vez disso, meus sentidos se tornavam mais aguçados conforme eu explorava a área, e eu usava o tato e a audição para conseguir andar sozinho.

Ao contrário das concepções populares erradas, as pessoas cegas não tornam os outros sentidos mais apurados por um passe de mágica. Nós temos de desenvolver a melhor audição por meio da prática, como qualquer outra pessoa. E, com prática, não demorou muito para eu aprender a andar sozinho até a Yucca Elementary School, que ficava a três quadras de nossa casa. Logo depois disso, comecei a andar de bicicleta e a deixar os vizinhos alarmados.

Durante meus primeiros anos de escola, meus pais foram chamados várias vezes para reuniões com o diretor, que sempre recomendava que eu fosse enviado para um colégio interno para cegos em Berkeley, na Califórnia, vários quilômetros ao norte de nossa cidade. Meus pais sempre recusaram a ideia. Eles me queriam em casa e em salas de aula comuns, e assim promoviam a "inclusão" antes mesmo do termo começar a ser aplicado com esse sentido.

Finalmente, no verão entre a terceira e a quarta série, a escola contratou uma professora de apoio para oferecer a mim e a algumas outras crianças cegas da região treinamento em braille. Seu nome era Cora Hershberger, e ela me ajudou a reaprender braille. Meu desenvolvimento foi rápido e não demorou muito até que eu começasse a ler sozinho – em outras palavras, a porta para os livros e para o aprendizado estava aberta. Minha curiosidade e minha imaginação explodiram e eu me apaixonei pelos livros quando pude explorar o mundo por meio dos pontos nas páginas, assim como quando passei a explorar minha vizinhança descobrindo as ranhuras e as elevações das calçadas.

Aquelas técnicas de exploração que aprendi na infância se tornaram bastante úteis quando tivemos de percorrer todo o caminho para sair da Torre Norte. Eu sempre tive a impressão de que todas as experiências da vida nos preparam para o que está por vir.

Assim como eu usava meus ouvidos para perceber as ruas ou evitar os carros estacionados quando andava de bicicleta, desenvolvi as habilidades necessárias para andar pelo World Trade Center. Estava tão familiarizado com o edifício quanto eu estava com as ranhuras nas calçadas da minha infância. E aquela sensação inicial de ser um excluído ainda me faz lutar para ser parte da comunidade, independentemente do que isso me custe. Eu não me apoio desnecessariamente em outras pessoas e nunca uso minha condição de cego para tirar vantagens das situações.

Dez degraus, uma volta, nove degraus. Dez degraus, uma volta, nove degraus.

No 70º piso, as escadas chegam ao fim e passamos por uma porta, entrando em mais um lobby do edifício. O local está quieto. O andar abandonado mais se assemelha a uma cidade-fantasma. Voltamos para as escadas depois de passar por outra porta e começamos a descer mais uma vez.

Eu me lembro de uma coisa que um professor de Educação Física me ensinou certa vez, quando eu queria correr distâncias maiores mais rápido. *Conte até dois quando você inspirar e até três ao expirar.* Tento fazer isso, sincronizando minha respiração com a contagem dos degraus. Um, dois, inspira; um, dois, três, expira.

Então os gritos começam, vindos de algum ponto acima de nós.

capítulo 5

Expulso do ônibus

"Toda a ideia de compaixão tem como base uma consciência aguçada da interdependência de todas essas criaturas vivas, que são parte umas das outras e estão envolvidas umas com as outras."

THOMAS MERTON

Descemos dez pisos. Faltam 68, e a escada começa a ficar lotada. As pessoas saem em massa da Torre Norte, e nós formamos uma fila única que desce mantendo um ritmo lento, porém constante. Às vezes uma porta se abre em algum patamar e sentimos o cheiro de fumaça. A maioria das pessoas está calma e quieta, perdida em pensamentos e focada em conseguir sair. De vez em quando, alguém sai da fila, ansioso, caminhando rapidamente para ultrapassar os demais. No entanto, não há empurra-empurra, nem ataques de fúria, nem vozes em pânico.

Todos nós nos mantemos instintivamente à direita, deixando o lado esquerdo da escadaria aberto para as pessoas que, por qualquer motivo, precisem descer mais apressadamente. Temos dezenas de lances e centenas de degraus ainda por descer, então procuramos manter o mesmo ritmo. Conforme caminhamos, eu solto o corrimão e seguro o cristal do meu relógio, um Seiko Quartz com marcadores em relevo nas posições 3, 6, 9 e 12. Toco levemente os ponteiros de hora e minutos e me espanto. Ainda são 8h55. Isso significa que apenas nove minutos se passaram desde que o avião – se é que aquilo era um avião – colidiu com nosso prédio. Eu me pergunto qual seria o nível dos danos causados pelo incêndio. *O fogo está se alastrando? O fogo vai invadir a escada?*

Com o objetivo de manter a concentração, uso meu relógio para cronometrar a descida. Cada degrau leva aproximadamente um segundo, então um lance de escadas leva aproximadamente vinte segundos para ser deixado para trás. Se faltam 68 andares, e levando em conta que manteremos o ritmo atual, serão necessários pouco mais de 22 minutos até conseguirmos sair do prédio. No entanto, é possível que haja alguns pontos no caminho em que tenhamos de diminuir a velocidade. Afinal, nós tivemos sorte até agora.

A escada começa a esquentar por conta daquela massa de corpos e eu começo a suar. Minha camisa passa a grudar em meu corpo. Roselle também está sentindo calor, e sua respiração está mais pesada e mais forte. O ar está pesado e o cheiro de combustível de avião ainda nos cerca – em alguns momentos, fica mais fraco; em outros momentos, mais forte do que nunca. Eu mais uma vez me dou conta de que aquele cheiro deve ser fortíssimo para Roselle.

Então, ouvimos gritos vindos de algum ponto mais acima.

– Cuidado! – alguém grita. – Vítima com o corpo queimado passando. Por favor, nos deixem passar!

Eu me movi mais para a direita, segurei o corrimão e puxei a guia, trazendo Roselle para perto de minhas pernas. Paramos por um instante, enquanto um grande número de pessoas se apressava. A respiração e os passos agitados daquele grupo me dizem tudo que eu preciso saber. Posso sentir Roselle observando, sua cabeça seguindo as pessoas conforme elas passam e seguem descendo.

Depois que o grupo passa e nós voltamos a descer as escadas, grito para David:

– O que você viu?

– Uma mulher – ele responde. – Ela estava tão queimada que nem parecia um ser humano.

O grupo de pessoas apressadas tinha se posicionado em volta da mulher para ajudá-la a descer. De alguma forma, ela ainda conseguia andar. Aquela é a primeira pessoa ferida que encontramos, mas eu sei que deve haver muitas outras.

Mas onde elas estão?

Continuamos descendo. Dez degraus, uma volta, nove degraus. Cinco minutos mais tarde, ouvimos mais gritos avisando para que nos mantivéssemos na lateral da escada. Puxo Roselle novamente e outra vítima queimada passa apressadamente pela escadaria. É outra mulher e David diz que essa está com uma aparência ainda mais horrível do que a primeira. Profundamente assustada, ela caminha como um zumbi, olhando para a frente com olhos apáticos. Suas roupas estão parcialmente queimadas; sua pele tem bolhas e está rachada. Seus cabelos loiros estão "escurecidos com a fuligem acinzentada".[1]

Várias pessoas que estavam no lobby ou nos arredores do nosso andar foram atingidas por combustível em chamas depois que a aeronave invadiu a torre. Uma dessas pessoas, cuja história ouvi posteriormente, era uma mulher de 44 anos chamada Virginia DiChiara. Ela estava em um elevador expresso, esperando para deixar o 78º andar quando o avião colidiu com o prédio. O fogo se acendeu no ascensor e logo desapareceu. As luzes se apagaram e o combustível em chamas respingou pelo poço do elevador e atingiu seus ombros e suas costas. Roy Bell, outro passageiro do elevador, descreveu:

1 David Frank, "America, 9-11-01". Mount Wilson Observatory Association Website. Disponível em: <http://www.mwoa.org/David_Frank.html>.

– Era como se fossem folhas brancas de fogo, como folhas finas de fogo. A chama passava pelas portas do elevador e caía pelo poço.[2]

De alguma forma, Virginia conseguiu sair do elevador no lobby. Estava em chamas; seus cabelos e sua blusa queimavam. Virginia usou as mãos para apagar as labaredas nos cabelos e, em seguida, rolou pelo chão para conter o fogo em seu corpo. Quando finalmente se sentou contra uma parede para descansar, percebeu que suas mãos e braços estavam bastante queimados. Não sabia que seu rosto também estava muito queimado. Virginia não sentia dor. Dois homens a ajudaram a descer as escadas, seguindo à sua frente "para conseguir segurá-la, caso ela caísse. Ela precisava andar com cuidado porque as queimaduras de suas mãos não a deixavam segurar no corrimão".[3]

Virginia deve ter sido uma das vítimas que passaram por mim.

Aproximadamente na mesma hora em que as vítimas queimadas passavam por nós na escadaria, outro avião bateu contra a Torre Sul, nossa torre irmã. O voo 175 da United Airlines, partindo de Boston, colidiu com a Torre 2, dessa vez mais baixo, explodindo contra o lobby do 78º andar. No entanto, ali, no concreto das escadas, as coisas continuavam tão quietas quanto se estivéssemos em uma caverna. Continuamos nos movimentando, descendo os degraus, permanecendo à direita para que os feridos pudessem passar pela esquerda, mas tudo parecia quieto lá em cima. *Acredito que devia haver mais pessoas vindas dos andares superiores. Onde elas estão? Deve haver mais feridos.*

2 Mitchell Fink e Lois Mathias, *Never Forget: An Oral History of September 11, 2001.* Nova York: HarperCollins, 2002, 46.

3 Stefan Aust e Cordt Schnibben (eds.). "Inside 9-11: What Really Happened". In: *Der Spiegel.* Nova York: St. Martin's Press, 2002, p.53.

O que eu ainda não sabia era que o topo do nosso prédio tinha se tornado uma armadilha mortal. Centenas morreram instantaneamente quando o avião colidiu acima de nós, e outras centenas de pessoas estavam presas naqueles pisos, incapazes de sair. Nós precisávamos manter o lado esquerdo das escadas livre para os feridos passarem, mas a maioria deles nunca conseguiu descer.

Minha garganta está coberta pelo fedor, como se tivesse sido revestida de uma camada de gasolina. Tento manter minha respiração rasa. Então, ouço a voz de uma mulher anunciando:

– Eu não consigo respirar.

Ela tinha parado de se movimentar e soava amedrontada.

– Acho que não vamos conseguir sair.

Ela está em algum lugar por perto. Seu medo é palpável naquela atmosfera carregada de pessoas. Ainda não está tendo um ataque de pânico, mas está muito perto disso.

A fila para de se movimentar por um instante. Pessoas murmuram palavras de apoio e de encorajamento. As vozes são gentis, preocupadas. Ninguém tem um ataque de fúria ou de frustração. Nós nos reunimos em volta dela, formando um grupo.

– Vai ficar tudo bem – dizemos vários de nós. – Nós vamos conseguir.

Eu a abraço. Sem se desesperar, Roselle bate na mão da mulher com o focinho, pedindo para ser acariciada. Uma pancadinha de um labrador retriever mais se parece com um soco do que com cócegas, e a mulher se vê incapaz de ignorar. Então, acaricia a cabeça de Roselle, passando a mão por aquela pelagem suave. Roselle gosta da atenção e do intervalo, e arfa feliz. A mulher relaxa; sua respiração se torna mais lenta. Percebo que ela até ri um pouco. Roselle fez sua mágica.

A mulher respira fundo, faz uma última carícia em Roselle e, então, toma seu lugar na fila, seguindo novamente o caminho.

Eu também respiro fundo. *Nós vamos mesmo conseguir sair daqui? Talvez ela tenha razão, já que respirar está cada vez mais difícil.*

Enquanto apoiamos e encorajamos uns aos outros nas escadas, penso em alguém que uma vez foi uma enorme fonte de incentivo para mim.

805-947-8675: o número de telefone do senhor Herboldsheimer. Eu ainda me lembro, e anos já se passaram.

Dick Herboldsheimer, ou senhor Herbo, como ele gostava de ser chamado, era meu professor de Geometria no 9º ano do colégio. Era um homem brilhante, com um talento incrível para Matemática e que trabalhava para a Kansas Nebraska Natural Gas Company e tentava sustentar uma esposa e um filho com impressionantes 1,65 dólares por hora. Herbo voltou a estudar e se formou. Conquistou seu mestrado em Matemática. Para a minha sorte, ele precisava de um trabalho com um salário melhor do que aquele que estavam lhe oferecendo no Meio-Oeste, e acabou se tornado professor na Palmdale High School. Em seu primeiro ano na nova posição, o senhor Herbo se viu dando aula de Geometria para um garoto cego. Eu.

– Era como se o diretor tivesse jogado uma bomba em minhas mãos – contou Herbo. – Eu não tinha ideia de como trabalhar com aquele aluno.

Ele não estava apenas sofrendo com o choque de trocar os campos verdes e exuberantes de Nebraska pelo deserto quente e seco; agora também tinha de descobrir como dar aula, para mim, de uma disciplina que é inerentemente visual. Geometria, uma das mais antigas ciências, é um ramo da Matemática que trabalha com questões que envolvem tamanhos, formas, posições relativas e propriedades do espaço. O termo significa "medição da terra" em grego antigo. No entanto, eu não conseguia sequer ver as formas em uma folha de papel. Caramba, como ele faria para me ensinar a medi-las?

Em nosso primeiro dia de aula, sentei-me com Squire, meu cão-guia, na primeira fila, bem na frente da mesa do professor. O senhor Herbo, provavelmente em um dos momentos de maior nervosismo de sua vida, começou a escrever um primeiro conjunto de equações.

– Senhor Herboldsheimer, o senhor precisa me dizer o que está escrevendo no quadro – pedi.

Ele fez uma pausa, refletiu por um instante e então começou a explicar exatamente o que estava escrevendo. E aquele foi o início de um ano maravilhoso.

Eu me sentava na primeira fileira. E eu tinha um livro de Geometria em braille e realizava as provas na biblioteca com o professor Herbo. Nós usávamos uma lousa mágica nos testes. Ele pegava meu dedo e me mostrava a imagem em relevo que ele desenhava. Então, eu fazia os cálculos e dava a resposta oralmente.

– Que treinamento ótimo aquilo tudo foi para mim, especialmente porque eu era um professor novo. Acho que aprendi tanto ou até mais com você do que você aprendeu comigo – disse o Senhor Herbo para mim. – Você fazia os cálculos mentalmente mais rápido do que os outros garotos faziam usando papel.

No meu aniversário, o senhor Herbo me convidou para ir a uma sorveteria chamada Foster's Freeze para tomarmos um banana split, e transformamos aquilo em um evento anual. Ele ficou impressionado quando os atendentes não perceberam que eu era cego. Muito embora meus olhos não sejam funcionais, eles permanecem com a estrutura intacta, assim como os músculos que os movem e minhas pálpebras. Eu aprendi a olhar para as pessoas, usando suas vozes e seus movimentos para ter uma ideia de sua localização e altura. Então, se você conversar comigo, provavelmente terá a impressão de que eu estou olhando para você, muito embora eu não o veja. Pessoas cegas têm cores de olhos diferentes. Meus olhos são de uma cor leve e leitosa. Gosto de pensar que eles combinam com minhas mechas loiras.

Certo dia, convidei o senhor Herbo para ir até minha casa e ver a instalação da minha rádio amadora. Meu pai e eu éramos operadores licenciados de uma e, com nossos rádios de alta frequência, podíamos conversar com pessoas em qualquer parte do mundo. Meus pais tinham deixado uma pequena sala na casa para que eu pudesse instalar o equipamento e, quando o senhor Herbo foi me visitar, eu o levei até lá para mostrar aquilo. Entrei primeiro e iniciei o sistema. Como eu estava distraído, não percebi que ele tinha ficado para trás.

– Não consigo ver o que você está fazendo – disse o senhor Herbo.

Eu estava trabalhando no escuro.

– Sinto muito, senhor Herbo – eu disse. – Esqueci que o senhor enxerga.

Mantivemos contato por muitos anos. Ele veio ao meu casamento e nos visitou várias vezes. Perdemos contato durante certo período. Finalmente, ele encontrou meu número um dia e, do nada, resolveu me telefonar. Quando eu atendi, ele disse:

– Olá, Mike!

– Oi, senhor Herbo!

Quinze anos tinham se passado, mas eu nunca esqueci a voz daquele homem. E eu sempre termino nossas conversas dizendo:

– Nunca se esqueça, senhor Herbo: eu sempre serei mais jovem do que o senhor.

Embora muitos dos meus professores fossem tão encorajadores e acolhedores quanto o senhor Herboldsheimer, minha experiência no ensino médio não transcorreu sem obstáculos. Na primavera do primeiro ano, fui chamado à sala do diretor.

– Temos um problema, Mike – ele anunciou. Então, abriu o livro com as regras do colégio e começou a ler. – Animais de nenhuma espécie serão aceitos nos ônibus escolares.

Naquele tempo, eu estava tomando o ônibus com Squire, meu primeiro cão-guia. Nós dois ainda éramos novatos na relação cachorro-dono, mas, mesmo assim, Squire fazia um bom trabalho. Ele cuidava de sua própria vida no ônibus e nunca tinha causado nenhum problema. Os outros garotos se interessaram por ele nos primeiros dias, mas a novidade logo perdeu a graça; eles voltaram a discutir seus assuntos e tudo voltou ao normal. Então eu fiquei surpreso e confuso. A lei é clara. Cães-guia certificados podem, legalmente, frequentar qualquer lugar aonde o seu dono vá.

Voltei para casa e verifiquei o livro com as regras do colégio. O fato de eu ter acesso a ele era fruto do favor de um grupo local batizado de Antelope Valley Braille Transcribers. Naquela época, não havia muito material em braille sendo produzido, então muitos livros e outros materiais tinham de ser transcritos em braille, página a página, por voluntários. Mais tarde, no final da década de 1960, os livros transcritos passaram a ser produzidos em massa, usando um aparelho de termoformagem. Era um processo lento, por meio do qual os relevos na página eram transferidos para uma folha especial de plástico, que, por sua vez, era aquecida e, então, usada para imprimir a folha de papel, resultando em uma página igual em braille. O processo era algo parecido com o de uma impressora, mas era revolucionário e permitia que livros e outros materiais pudessem ser produzidos de forma mais rápida e barata, uma página de cada vez. No entanto, naquela época nós não tínhamos acesso a esse tipo de aparelho, o que significava que a maior parte dos materiais escolares tinha de ser trabalhosamente transcrita manualmente.

Debrucei-me sobre meu manual do aluno em braille e encontrei as regras do ônibus escolar. Estavam bem debaixo dos meus dedos. De acordo com as instruções dele, Squire não poderia entrar no ônibus.

A Guide Dogs for the Blind tinha me dado um cartão especial para levar sempre comigo. Nele, estava escrito: "A legislação da Califórnia garante ao deficiente visual o direito legal de ser acompanhado por um cão-guia especialmente treinado em todas as acomodações públicas e em todos os meios de transporte públicos". Porém, o cartão não me ajudaria agora.

Se meu pai já ficava extremamente irritado quando os vizinhos telefonavam para reclamar sobre o garoto cego andando de bicicleta, bem, agora ele ficou cem vezes mais furioso. Então, telefonou para o assistente do diretor naquela tarde e perguntou se alguém havia se queixado de Squire. A resposta foi não. O colégio me ofereceu um transporte alternativo. Eles planejavam alugar um carro com motorista para me buscar em casa e me trazer de volta. No entanto, essa ideia (além dos custos desnecessários para uma escola pública) ia contra todas as ações de meu pai ao longo da minha vida. Toda a minha infância tinha sido baseada em encontrar uma forma para me integrar e existir dentro da comunidade, e não para me segregar e me tratar como alguém especial ou incapaz.

Meu pai solicitou uma reunião com a diretoria do colégio para poder discutir o assunto. Enquanto isso, o município alugou um carro com motorista para me levar e me trazer do colégio. No sábado que antecedeu a reunião com a diretoria, meu pai passou o dia na biblioteca pública de Palmdale, vasculhando o *Black's Law Dictionary*, o dicionário jurídico mais utilizado nos Estados Unidos e uma referência quando o assunto era definição de termos e pareceres jurídicos.

A lei da Califórnia era clara: "Qualquer pessoa com deficiência visual, auditiva ou de qualquer outra natureza que utilizar transporte comum, avião, automóvel, trem, ônibus, bonde, barco ou qualquer outro meio ou modo de transporte público operando dentro deste estado terá o direito de levar consigo um cão-guia especialmente treinado".[4]

A pergunta para a qual meu pai procurava resposta era: seria o ônibus escolar, operado pela escola pública municipal, considerado um meio de transporte público? De acordo com o raciocínio de meu pai, Palmdale High School era uma escola pública e todos os jovens

---

4 Guide Dog Users of California, *California Penal Code,* Part 1: Crimes and Punishment, Title 9, chap. 12, sect. 365.5 (a). Disponível em: <www.ca.gov.about/goverment/state/lowsandregs.html>.

da região tinham o direito de frequentá-la. O ônibus escolar era um veículo usado pelo colégio para transportar os alunos até aquela instalação pública. Então, de acordo com o raciocínio dele, o ônibus poderia ser classificado como um meio de transporte público. E a longa pesquisa que meu pai realizou na biblioteca confirmou sua hipótese.

Minha mãe, meu pai e eu fomos até o encontro na sala de reuniões do colégio. O local tinha cheiro de pó de giz, perfume barato e gel de cabelo. Havia entre seis e oito fileiras de cadeiras e nós nos sentamos na frente. Os membros da diretoria da escola se sentaram à nossa frente, com o diretor ao centro. Squire descansava silenciosamente, deitado em meus pés. Eu estava nervoso e entusiasmado.

A diretoria da escola passou várias horas discutindo toda a pauta enquanto esperávamos nosso item aparecer. Minha mãe saiu para fumar algumas vezes e meu pai batia o pé rapidamente, fazendo o assento tremer. Finalmente chegou a nossa vez.

O superintendente começou com um pronunciamento:

– O Conselho Escolar estabeleceu uma regra por meio da qual nenhum animal vivo poderá entrar no ônibus escolar. Como diretoria, estamos encarregados de fazer cumprir as regras. E não abriremos exceções à regra.

Meu pai se levantou, identificou-se, olhando para a lousa, e perguntou:

– Alguém fez alguma reclamação?

O superintendente negou.

– Meu filho ou o cão-guia dele se comportaram mal?

Mais uma resposta negativa.

– O fato é que, de acordo com as leis da Califórnia, é uma crueldade negar acesso ao transporte público a uma pessoa cega com um cão-guia.

É isso aí, pai! Eu estava orgulhoso.

– Vocês podem criar todas as regras que quiserem, mas estão violando a lei! – Agora meu pai começava a se enervar. – Se continuarem com isso, alguém aqui vai ter que passar um tempo na penitenciária.

O superintendente ficou em silêncio. A atmosfera na sala tornou-se pesada por conta de toda aquela tensão. O desafio lançado por meu pai ficou no ar. Então, o superintendente virou-se para o diretor da mesa, que era advogado, e perguntou:

– Isso é verdade? – Sua voz respingava arrogância.

O advogado disse que sim, era verdade.

Mais uma pausa. Então, uma resposta. A voz dele agora estava mais alta e mais clara.

– Bem, nós temos nossas regras e precisamos seguir essas regras. Nossas regras locais se sobrepõem à lei por se tratar de um problema da escola.

Meu pai apontou que, como a escola tinha alugado um carro com motorista para me levar ao colégio, aquele carro era como um ônibus escolar para a lei. A mesa escolheu ignorar os argumentos dele e deu início a uma votação. Dois votos contra três a favor de apoiar a regra definida pela diretoria da escola. Nós tínhamos perdido. Squire e eu tínhamos sido oficialmente expulsos do ônibus escolar. Meus pais foram para casa espumando de raiva.

Mas meu pai ainda não tinha desistido. Seu próximo passo foi um apelo direto a Edmund Pat Brown, governador da Califórnia na época. O governador Brown era defensor das causas progressivas e populistas, incluindo educação e habitação, e seu mandato foi marcado por mudanças sociais. Meu pai escreveu uma carta a ele explicando o que tinha acontecido e pedindo minha reintegração ao ônibus escolar. Seu apelo foi apoiado por argumentos cuidadosos e detalhados, frutos de sua pesquisa na biblioteca. Ele terminava a carta com: "Isso é errado. O Conselho Escolar está discriminando meu filho".

E enviou a carta para Sacramento.

A informação que recebemos em seguida foi que o superintendente do Antelope Valley School District foi chamado para uma reunião na capital do estado. E ele compareceu. Eu gostaria de ser uma mosca para entrar naquela sala.

Alguns dias depois, fui chamado mais uma vez na sala do diretor--assistente. Dessa vez, a notícia era melhor.

– Bem, você pode voltar a usar o ônibus escolar – ele anunciou. – Seu pai fez acontecer. – E bateu a mão em meu ombro.

Eu abri um sorriso, um sorriso enorme.

Estava orgulhoso do meu pai. Nada mal para um cara que nunca foi além da 8ª série, mas que podia usar um dicionário jurídico quando necessário. Descobri que é apropriado tomar uma posição e defender um princípio, mesmo que seja necessário bater na porta do gabinete do governador no meio do processo. Às vezes, os "peixes pequenos" saem vencedores.

Depois disso, o colegial transcorreu com tranquilidade. Eu era bastante quieto e um tanto quanto nerd. Meu pai e eu adorávamos nossas rádios amadoras e éramos parte de uma rede da Defesa Civil chamada Radio Amateur Civil Emergency Service (RACES), além do Military Affiliated Radio Service (MARS), a rede de operadores de rádio amador que ajudavam os militares em outros países a se comunicarem com seus entes queridos nos Estados Unidos. Eu me mantive ocupado com os escoteiros, com o coral da igreja e com os estudos. Entrei para o clube de Matemática e me tornei um "matleta", parte do time de Matemática que participava de competições que envolviam resolver problemas complicados. Fazia todo o trabalho mentalmente e sempre tive um bom espírito de competição.

Eu também adorava big band e meu grupo favorito era o Kingston Trio. Adorava musicais, e meu primo Rob e eu deixamos nossos pais loucos cantando o repertório de *The Music Man* com todas as nossas forças no carro durante uma viagem ao Parque Nacional de Yosemite. "Trouble in River City" marcou aquela viagem.

Depois eu me apaixonei. Não por uma garota, mas por programas antigos de rádio. Eu adorava Jack Benny e Fred Allen. Aquele tipo de humor rápido e autodepreciativo me fazia rir. Eu ouvia um programa militar chamado *Command Performance*, que levou ao ar atrações como Bing Crosby, Bob Hope, Jimmy Durante, Frank Sinatra, Judy Garland, Dinah Shore e Andrews Sisters. Os Beatles estavam começando a se tornar populares, mas eu adorava coisas antigas. Ainda gosto. Eu também ouvi programas de ação como *Gunsmoke, Yours Truly, Johnny Dollar* e *Have Gun, Will Travel.* Quando fui para a faculdade, ganhei somas consideráveis de dinheiro devido ao meu amor por programas de rádio antigos. Meu pai me deixava usar seu gravador de fitas cassete para grava-los. Criei um banco de dados com minha coleção e passei a vender cópias a colecionadores. Ainda gosto deles e tenho mais de 50 mil programas de rádio antigos em minha coleção. Décadas depois, esses programas não envelhecem e nunca deixam de me fazer rir. Como Jack Benny diria: "A idade é estritamente um caso de se importar com problemas. Se você não se importar, não vai ter problemas".

Eu estava ocupado demais com a escola e com os escoteiros para pensar em garotas. Meus pais me fizeram tomar aulas de dança. Eu também aprendi a tocar piano, mas minhas aulas teriam sido mais proveitosas se minha professora me deixasse tocar de ouvido. Eu detestava ter de ler partitura em braille, porque você tinha de tocar com uma mão enquanto a outra lia as notas. E Michael Blizzard Hingson não gostava de diminuir o ritmo.

Mesmo assim, há momentos em que querer dar um passo maior do que a perna pode não ser a melhor escolha. Um dia, muitos anos depois, descer uma escada requereria 100% de esforço coletivo.

Na escada, comecei a usar um velho truque que aprendi com os escoteiros: verifiquei o calor tocando as portas de incêndio de cada andar. Eu adorava fazer parte dos escoteiros. Sou um Eagle Scout e membro da Order of the Arrow, a sociedade de honra do escotismo. Dois milhões de jovens ganharam a designação de Eagle Scout, enquanto 180 mil ganharam o direito de vestir a faixa da Order of the Arrow, que reconhece serviços prestados a outras pessoas. Uma vez Eagle, sempre Eagle.

Então, mais pânico. Sobrecarregado pelas vítimas queimadas, pelo cheiro de combustível de aeronave e pelo terror geral, a voz de David Frank começa a estremecer.

– Mike, nós vamos morrer. Nós não vamos conseguir sair daqui.

Minhas mãos apertam a guia de Roselle por um instante. Ela olha para mim, eu sei. E ela observa meu rosto, esperando ouvir um comando. Eu relaxo minha mão. *Preciso ficar calmo por Roselle. Não posso entrar em pânico. Não posso permitir que ela sinta qualquer sinal de medo em mim.*

– David – digo calmamente, para que ele possa ouvir. Uso minha melhor voz de gerente. – Se Roselle e eu podemos descer as escadas, você também pode.

Não estou com medo do fogo. Se aquelas mulheres queimadas podiam descer as escadas, nós também podíamos. Roselle está quieta e calma ao meu lado. Sei que, se o incêndio estivesse perto de nós, ela teria ficado nervosa e puxado sua guia. Não estou com medo da descida; as pessoas estão trabalhando juntas para evacuar o prédio, e não vai demorar muito até sairmos, a caminho de nossas casas.

No entanto, tenho medo de uma coisa. Eu não consigo afastar esse pensamento da minha cabeça. Ele está lá, resmungando dentro de mim. Um arrepio corre por minhas costas. *O que eu vou fazer se as luzes se apagarem?*

capítulo 6

Dirigindo no escuro

"Uma piada é algo muito sério."
WINSTON CHURCHILL

A escada está banhada por uma luz fluorescente. Parte das luminárias faz um chiado leve e confortante conforme descemos. Eu me lembro de ter ouvido que, durante o ataque de 1993 ao World Trade Center, quando um caminhão Ryder com aproximadamente 680 quilos de explosivos foi detonado na garagem de nosso prédio por um terrorista chamado Ramzi Yousef, as pessoas tiveram de descer por escadas escuras e que algumas levaram mais de três ou quatro horas para deixar o prédio. *O que vai acontecer se as luzes se apagarem?* Eu tentava manter esse pensamento distante.

David, que antes estava logo à minha frente, passou por várias pessoas e agora está mais ou menos um andar à frente. Ele começa a agir como um vigia, gritando para trás tudo o que vê. A cada poucos andares que descemos, ele grita o número. Sessenta, depois, cinquenta e nove... cinquenta e seis... cinquenta e quatro... cinquenta".

Eu continuo tocando as portas de incêndio, mas elas estão frias. O fogo deve estar contido nos andares superiores, embora o ar ainda esteja carregado. Há também sinais de fumaça.

Conforme o número de pessoas descendo as escadas aumenta, o ar se torna cada vez mais quente. Os corpos estão mais próximos. A adrenalina está alta. O cheiro pungente de suor se espalha pelo ar. O corrimão sob minha mão direita parece aquecido e úmido agora, deixando para trás aquela sensação fria do metal conforme dezenas – talvez centenas – de mãos seguravam-se nele pelo caminho até o andar térreo.

Eu continuo coordenando minha respiração com os degraus, mas Roselle está respirando rápido. Hoje nossa parceria está funcionando bem. Embora o treinamento de cão-guia a tenha preparado para confrontar situações novas e perigosas, nenhum cachorro do mundo estaria preparado para algo desse tipo.

– Boa garota – digo a ela. – Você está fazendo um ótimo trabalho. Estou muito orgulhoso de você.

Acaricio Roselle rapidamente e ela levanta a cabeça em minha direção. Deslizo minha mão pela sua orelha esquerda e acaricio o seu pescoço. Está úmido. Aposto que o corpo dela está tentando se livrar do fedor dos vapores. Espero que isso não faça muito mal a ela.

– Quarenta e oito... quarenta e cinco... quarenta e três... – grita David.

Toco meu relógio. São 9h05. Enquanto nossa velocidade diminui, meu nível de ansiedade só aumenta. Estamos descendo as escadas em um ritmo constante. Roselle está fazendo seu trabalho. David segue na frente, informando-nos do que vê. Mas o ruído das luzes traz de volta o medo. *E se as luzes se apagarem?*

Conforme eu sigo, pondero o que sei até o momento. *Houve uma explosão e o prédio sacudiu fortemente. A explosão fez a torre tremer, estourou as janelas e deu início a um incêndio. Pelo cheiro de combustível de aeronave, tenho certeza de que um avião colidiu com o nosso prédio. Até agora, não há sinal algum de ajuda de emergência. Não há alarmes ou bombeiros, e os extintores de incêndio não foram ativados.*

Suponho que a energia no topo do prédio tenha sido cortada por conta da explosão, mas no 78º piso, em nosso escritório, nós ainda tínhamos energia – pelo menos quando saímos. Ainda temos energia nas escadas. Mas por quanto tempo?

Não há janelas nas escadas. Somos centenas de pessoas presas, envoltas por cimento e aço. Não sabemos o que está acontecendo acima ou abaixo de nós. Não temos ideia do que está ocorrendo lá fora, ou mesmo nos andares pelos quais já passamos. Sem celulares ou contato com o exterior, nós estamos, todos nós, descendo cegamente.

Então, aquele pensamento que tento afastar retorna. Já não consigo ignorá-lo. *E se a luz se apagar?* Se o fogo se espalhar ou o sistema elétrico começar a falhar por algum motivo as escadas mergulharão na escuridão. Por meio das vozes, respirações e movimentos, consigo perceber que as pessoas à nossa volta estão ansiosas e desejando sair do prédio para poder respirar ar fresco e liberdade. Todavia, ainda não há pânico. Os nova-iorquinos são fortes. No entanto, se tudo ficar escuro, isso pode mudar. A ironia é que, se a luz se apagar, Roselle e eu estaremos bem. Depois de viver durante cinquenta anos em um mundo criado para os que enxergam, fui forçado a encontrar formas de me adaptar a ele e a superá-lo. A recusa de meus pais em me mandarem para uma casa de cegos porque eu poderia me tornar um peso acabou me transformando em um homem criativo, fez-me aprender a sobreviver e a encontrar e usar as ferramentas necessárias para viver. Para viver uma vida muito boa, diga-se de passagem.

Ser cego tem suas vantagens. Eu posso economizar na conta de luz. Quando me tornei proficiente em ler braille, eu costumava ficar acordado até tarde, lendo no escuro. Gosto de pensar que meus pais nunca souberam disso, mas nossos pais sempre sabem de tudo, então eles provavelmente tinham ideia do que eu estava fazendo quando devia estar dormindo. Desenvolvi uma forte consciência dos pensamentos e das sensações das pessoas a partir dos sons produzidos por seus movimentos e suas vozes. Não consigo ler seus rostos ou olhar em seus olhos, mas leio todo o restante. Eu não poderia verbalizar como reconheço essas sensações e pensamentos – é intuição lapidada ano após ano, com minha escuta atenta. Aprendi a ouvir a mesa de café, aprendi a ouvir as calçadas da minha rua, e aprendi também a ouvir as emoções das pessoas.

Experimente. Se você está nervoso ou irritado, os músculos do seu rosto se contraem, especialmente em volta da boca e dos lábios, e o tom da sua voz muda. Ela se torna curta e grossa. Por outro lado, se você está feliz e à vontade, ou até mesmo sorrindo, sua voz ganha um tom aberto e relaxado. O mesmo acontece com outras emoções e estados mentais, como sonolência, tristeza, culpa, medo, ansiedade, entusiasmo e amor. Eu posso ouvir todas essas emoções. Qualquer um, se prestar atenção, pode.

O desafio de ter crescido cego também me forçou a desenvolver certa força e confiança conforme eu encarava novas situações. E trabalhar com um parceiro ajuda.

De repente, um pensamento toma conta de mim. *É claro! Como eu não pensei nisso antes?!*

Eu posso ser o guia.

Se as luzes se apagarem, Roselle vai me guiar e eu poderei guiar os outros. Pode ser que as luzes não funcionem, mas ainda assim conseguiremos sair da torre. Roselle e eu guiaremos todos pelo caminho.

O medo imediatamente aumenta. Eu respiro profundamente, seguro o ar e finalmente expiro. *Relaxe.* Nós ainda estamos descendo, uma enorme fila de pessoas em uma jornada pela qual nenhum de nós queria ou esperava passar. Mas estamos juntos.

Eu grito, minha voz é alta e forte:

– Não se preocupem. Roselle e eu vamos cobrar só metade do preço para tirá-los daqui se as luzes se apagarem.

As pessoas à minha volta dão risada. O clima melhora um pouco e nós passamos a conversar em voz baixa conforme andamos.

Gosto de pensar que até mesmo em uma situação tão séria eu consigo encontrar humor ou alguma outra forma de aliviar o estresse. Aprendi muito sobre isso na faculdade.

Frequentar uma faculdade me fez aprender a dominar meus medos. No início, estar sozinho era assustador, como é para todos os calouros. Eu tinha visitado a Universidade da Califórnia, em Irvine, com meus pais antes de terminar o ensino médio e tivemos a oportunidade de conhecer o diretor do departamento de Física. Todos no departamento foram calorosos e receptivos e pareciam não ter problemas em ter um cego no corpo discente. Então, candidatei-me e fui aceito. Meus pais ficaram extremamente felizes – era o resultado de todos aqueles anos de trabalho duro e dedicação.

Deve ter sido difícil para eles me deixar seguir sozinho num mundo feito para os que enxergam. No entanto, assim como eles tinham me apoiado para andar de bicicleta e desvendar as ruas de Palmdale, eles me deixaram caminhar pelas ruas bem cuidadas e cheias de curvas de Irvine. Havia mais pessoas no campus da universidade do que em toda a cidade de Palmdale, mas eu estava empolgado e ansioso para encarar os desafios acadêmicos.

Eu ainda tinha Squire ao meu lado, mas também tinha aprendido a usar uma bengala branca. Então, explorei todos os cantos do campus de 6 mil quilometros quadrados localizado nos sopés costeiros de Orange County, a sul de Los Angeles e a poucos quilômetros do oceano Pacífico. Sempre que usava a bengala, eu propositalmente tomava caminhos diferentes, com o objetivo de construir um mapa tridimensional em minha cabeça, para que eu nunca me perdesse. Quando conheci o campus, passei a andar de bicicleta ou com Squire para chegar aonde queria.

Eu também tomava caminhos diferentes quando andava com Squire. A Guide Dogs for the Blind treina seus alunos para viajarem por uma variedade de rotas, de modo que o cão não se torne excessivamente familiarizado com apenas uma rota (e rotina) particular. Tenho uma amiga que paga a conta do telefone diretamente na prestadora todos os meses. Um dia, ela andara pela mesma vizinhança, mas queria ir até a tinturaria. Seu cão-guia não sabia; ele a arrastou até a empresa prestadora de serviços de telefonia, ignorando seus comandos e puxando a guia por acreditar que deveria levá-la até lá. Assim como nós, os cachorros são criaturas com hábitos e que facilmente caem em uma rotina. Portanto, o melhor a fazer é deixá-los com a mente ligada.

Uma rota interessante que descobri ficava abaixo do chão. Um corredor de quase cem metros corria pelo subsolo, saindo do prédio de Ciências da Computação e seguindo até o prédio da Engenharia. Por algum motivo, as portas do túnel de acesso ficavam destrancadas, então criei o hábito de usá-lo como um atalho, assim como muitos outros alunos. Eu costumava levar Squire comigo, e em alguns pontos eu tinha de me abaixar por conta da tubulação. Ele percebeu as armadilhas e aprendeu a me fazer passar por elas. Em alguns momentos, o túnel ficava muito movimentado – ele era um desses "segredinhos" que os universitários adoram dividir, mesmo antes do tempo em que as informações se tornariam facilmente compartilhadas via mensagem de texto e redes sociais. Nos finais de semana, todavia, o túnel ficava praticamente vazio e eu o usava para exercitar meu cachorro. Ficava em uma entrada e jogava uma bola com toda a minha força. Squire a buscava e, dependendo de seu pique naquele dia, poderia pegá-la no ar ou então teria de correr até o outro lado. Em algumas ocasiões, algum aluno vinha vindo do outro lado do túnel e ficava no fogo cruzado – e um tanto quanto irritado. Mas o que é uma ou outra bolada entre amigos?

Comprei meu primeiro carro ainda aluno da Irvine: um Ford Mustang 64 com uma transmissão que gotejava. Até mesmo dirigir se tornou uma aventura para mim. Fiz amizade com alguns dos guardas do campus e eles não ligavam muito quando eu dava algumas voltas pela universidade durante a noite. Meu pai me deixou dirigir algumas vezes em nossa cidade e, quando eu tinha seis ou sete anos de idade, um carteiro amigável, chamado senhor Judd, deixava-me ajudar dirigindo a sua caminhonete de vez em quando. Eu não conseguia me ecolocalizar para dirigir, então precisava de alguém para me direcionar. E eu não tinha carteira de motorista, o que limitava minhas opções. Em geral, eu pedia para alguém dirigir para mim enquanto eu passava as instruções do banco do passageiro. Mas eu amava o Mustang e às vezes organizávamos desfiles ou passeios pelo campus ou saíamos dirigindo pelo estacionamento. Buzinávamos e acenávamos para os amigos, simplesmente para ver qual seria a reação deles.

Embora andar pelo campus em Irvine não fosse exatamente um desafio, a realidade acadêmica era bastante desafiadora. Havia mais concorrência por parte dos outros alunos, que trabalhavam em um nível mais alto do que eu estava acostumado; os professores nem sempre expunham o que estavam fazendo quando escreviam na lousa ou usavam os projetores; e havia ocasiões em que eu perdia informações quando participava de grupos de discussão. Se aquilo era fruto da minha timidez ou das sensações de desconforto dos outros alunos, bem, isso eu não sei.

Todavia, uma coisa maravilhosa sobre a faculdade é o fato de eu ter tido acesso à maioria dos livros em braille ou em formato audiolivro. Os livros e materiais que eu não podia ler eram lidos para mim por "leitores" - em geral, outros alunos, que se tornavam meus olhos e liam para mim algumas horas por semana. Comecei a encontrar meu equilíbrio acadêmico, passei a me manter em dia com todas as exigências do curso e a participar de grupos de discussões, por vezes me envolvendo em debates aquecidos.

Os cursos de Matemática eram os mais difíceis, especialmente quando eu não tinha o material. Não era fácil para os leitores que não estudavam Física ou Matemática transmitir as equações para mim, então eu passava muito tempo com eles, tentando entender os teoremas. Um professor, o doutor Naylor, inicialmente não descrevia muito do que fazia em suas aulas. Eu fazia muitas perguntas e tentava entender o conteúdo - e aquilo também funcionava como um lembrete de que eu estava ali. Ele foi bastante amável com relação a tudo aquilo. Um dia, doutor Naylor me telefonou e disse:

– Obrigado por me ajudar a verbalizar mais.

A todos os alunos de Matemática que vieram depois de mim, peço desculpas se o doutor Naylor explicava demais as coisas. Eu assumo toda a responsabilidade.

Comecei a me apaixonar pela Física. O grande escritor e pensador cristão C. S. Lewis certa vez disse: "O melhor da minha vida foi o desejo [...] de encontrar o lugar de onde vieram todas as belezas". Meu amor pela Física e pela Matemática também pode ser descrito como uma busca pela beleza e pela compreensão do funcionamento do mundo. Sempre me interessei pelas ciências, em especial pela eletricidade e pelo magnetismo, provavelmente por influência do meu pai. Até onde me lembro, o ramo das ciências que sempre me atraiu foi a Física. No meu primeiro ano do ensino médio, meu professor percebeu meu interesse e me deixou assistir às aulas de Física do último ano no último bimestre. Eu sempre soube que me formaria em Física.

A precisão e a complexidade das equações matemáticas aplicadas ao mundo real por meio da Física atraíram meus sentidos de ordem e de equilíbrio e me ajudaram a satisfazer minha curiosidade sobre como o mundo funciona. O matemático Henri Poincaré coloca isso da seguinte maneira: "O cientista não estuda a natureza porque ela é útil. Ele a estuda porque aquilo lhe dá prazer; e aquilo lhe dá prazer porque tem beleza. Se a natureza não fosse bela, não valeria a pena conhecê-la".[1]

Minha paixão pela Física, combinada com a enorme dedicação e o trabalho duro, trouxe resultados na faculdade, e todos os semestres eu figurava na lista dos melhores alunos. No entanto, para fazer isso acontecer, nos meus primeiros anos como universitário eu me dediquei a propósitos acadêmicos, e não à vida social. Eu tinha amigos, mas meu melhor amigo era, muito provavelmente, o meu cão-guia. E eu ainda não me interessava por garotas. Em vez disso, eu preenchia minha vida com a academia, com leituras e programas antigos de rádio.

---

1 Citado em Ernst Peter Fischer, *Beauty and the Beast: The Aesthetic Moment in Science*. Nova York: Plenum Trade, 1997, 12.

Minha vida social começou a decolar depois que dei início a meu próprio programa de rádio na KUCI, a estação do campus. Veiculava programas antigos de rádio das 18h às 21h, todos os domingos. Eu competia com o *60 Minutes* e, na região de Irvine, o programa de rádio *Hall of Fame*, da KUCI, levou a popularidade de Mike Wallace por água abaixo. A estação de rádio funcionava em um quartinho no prédio de Ciências Físicas. Nossos equipamentos eram bastante primitivos e cada um de nós produzia suas próprias atrações. Eu fazia pesquisas para oferecer comentários sobre cada programa antigo que transmitia. Algumas vezes, tive a oportunidade de conduzir entrevistas e de conversar com pessoas que telefonavam. Comecei a me sentir confortável conversando com pessoas que eu não conhecia e até comecei a arriscar algumas piadinhas no ar – uma espécie de doutor Demento, só que mais pobre. Em certo momento, passei a memorizar e sempre tentar apresentar uma piadinha em cada programa. Elas se mostraram úteis mais tarde, quando comecei a trabalhar com vendas. Quanto melhor o gracejo, mais respeito você ganha do pessoal de vendas. E eu tive bons professores: Abbott e Costello, Jack Benny, Fred Allen, e Milton Berle.

Sempre que possível, eu tentava deixar as pessoas à vontade com o fato de eu ser cego e, quando achava viável, chegava a fazer piada disso. Um dos meus colegas na estação de rádio, e outro nerd das ciências, era Mat Kaplan. Ele tinha um programa que ia ao ar nas noites de domingo, logo depois do meu. Ele ainda está envolvido com o mundo do rádio, apresentando e produzindo o *Planetary Radio*, um programa sobre viagens espaciais. Certa vez, ele juntou cem dólares – um valor alto para universitários pobres daquela época – e encomendou um pequeno laser hélio-neônio da Edmund Scientific (a maravilhosa loja de ciências e de fornecimento de aparelhos, que, naquela época, vendia pelo correio, e existe até hoje). Na década de 1970, os lasers ainda não eram amplamente disponibilizados em qualquer estabelecimento, como hoje em dia. Mat e eu nos divertíamos muito brincando com o laser e imediatamente percebemos que meu cão-guia, Holland, ficava hipnotizado com aquele ponto de luz brilhante. Ele adorava persegui-lo. Nós o colocávamos em frenesi, perseguindo o feixe pela enorme sala da estação de rádio. Todavia, aquele laser era fortíssimo, então precisávamos ser cuidadosos – afinal, não queríamos ferir acidentalmente os olhos do meu cachorro. No entanto, meus olhos... Bem, eles são outra história. Sem dar qualquer aviso a Mat, certa vez peguei o laser e o apontei diretamente para meus olhos.

– Engraçado, eu não vejo nada – brinquei.

– Mike, Mike, não faça isso – gritou Mat, frenético.

Acho que aquela foi a última vez que ele me deixou brincar com o laser.

Embora os computadores desktop e os laptops ainda estivessem em um futuro bastante distante, a Universidade da Califórnia em Irvine tinha um computador mainframe. Na década de 1960, os mainframes aceitavam input dos operadores de sistema por meio de cartões perfurados, fitas de papel ou magnéticas ou de teleimpressores, e pareciam as máquinas de escrever IBM Selectric ou as enormes impressoras que antigamente eram usadas nas salas dos jornais. Na década de 1970, nas universidades como as de Irvine, os mainframes tinham interfaces de usuário interativas e operavam como computadores compartilhados, "conversando" com vários usuários, além de processarem arquivos de lote.

Aqueles eram tempos muito estimulantes para os alunos de Física, já que tínhamos a oportunidade de trabalhar com equações matemáticas extremamente complexas. Os computadores da faculdade podiam fazer, em poucos segundos, cálculos que nós levaríamos horas para concluir. E nós estávamos apenas começando a entender como eles poderiam ser usados fora dos muros da universidade.

No entanto, havia um problema: muito embora soubesse digitar, eu não podia usar o computador. O teleimpressor Teletype tinha um teclado QWERTY padrão, mas para mim era impossível ler a tela ou decifrar os resultados quando eles eram impressos. Eu estava limitado na era da computação, e precisava de ajuda. John Halverson, outro aluno cego que tinha ingressado na universidade um ano antes de mim, também queria ter acesso àquilo, então nos unimos e passamos a pedir por alguma tecnologia que nos permitisse usar o computador.

Chegamos a Dick Rubinstein, um pós-graduando prodígio e pesquisador na Universidade da Califórnia em Irvine, que trabalhava com Julian Feldman, diretor do Programa de Ciência da Computação. Julian pediu que Dick nos ajudasse e imediatamente nos tornamos amigos. Aquela era uma época em que muitos universitários estavam se envolvendo com ativismo político e fazendo suas vozes serem ouvidas. E a realidade não era diferente para John e para mim. Chegamos a criar um lema para nosso projeto de lobby para obtermos acesso aos computadores. Tomamos emprestado o slogan popular "*Power to the People*" e o alteramos para "*Power to the Blind People*". E nos divertimos muito brincando com o nosso movimento de direitos civis, e com o fato de Dick fazer parte de tudo aquilo.

Então, ele começou a trabalhar e rapidamente criou um terminal braille para nós. Dick era um engenheiro que se descrevia como "generalista". Tinha acabado de se formar em Engenharia no Caltech, mas tinha ido para a Irvine para estudar Ciências Sociais. Dick adorava inventar e consertar coisas, e tinha uma compreensão inata de como os equipamentos funcionavam. Ele também adorava pessoas, e seu talento para a criação vinha de entender o que as pessoas precisavam. Ele começou com um Teletyper que imprimia conforme um cilindro de impressão rodava e pressionava uma fita que fazia marcas no papel. Isso imprimia apenas dez caracteres por segundo, uma velocidade bastante lenta. Dick projetou um novo cilindro e instalou agulhas para gravar em relevo os pontos necessários para criar marcas em braille, além de ter feito várias outras modificações para colocar o papel na posição certa para receber as marcas. Então ele criou um software que funcionava no minicomputador PDP-8, da Digital, e que traduzia as informações recebidas em marcas em braille. O minicomputador funcionava como um controlador para o terminal braille.

– Não era rápido, mas fazia o trabalho – contou Dick, que conquistou seu título PhD e dedicou sua carreira à engenharia de fatores humanos.

Seu projeto foi publicado em 1972 em um periódico da Association for Computing Machinery.

Dick e eu mantivemos contato e trocamos algumas ideias sobre outros tipos de aparelhos em braille, e ele acabou se envolvendo no desenvolvimento de correspondências eletrônicas (ou e-mail, como chamamos agora) como meio de comunicação para adultos surdos já nos anos 1970, quando a maioria das pessoas sequer tinha ouvido falar de e-mail e a Internet ainda era chamada de Arpanet. Era um cara inteligente. E ele adorava minha máquina de pachinko.

Pachinko é um jogo mecânico japonês similar a uma máquina de pinball vertical. Você atira pequenas bolas em uma máquina, e elas descem entre vários pinos de metal e às vezes pousam em bolsos que somam pontos.

– O que um cara cego está fazendo com uma máquina de pinball? – perguntou Dick certa vez.

– Espere até você me ver jogar dardos – respondi.

O terminal braille de Dick me ajudou a despertar meu amor pela tecnologia, e uma das minhas paixões é ajudar a levar as tecnologias mais modernas, mais eficazes e mais fáceis de serem usadas até as mãos de pessoas cegas. A tecnologia que temos disponível hoje mudou as regras do jogo e possibilitou – para mim e para as demais pessoas cegas – mais independência e acesso à informação do que em qualquer outro momento da História. Estes são tempos ótimos para os cegos.

Quando eu me formei com distinção, meus pais e meu irmão estavam no público, assistindo. Depois do meu irmão, fui o primeiro em toda a família a conquistar um diploma de ensino superior. Bem, além de Squire, meu cão, que nessa época já estava bem velhinho. O reitor Aldrich concedeu um diploma também a Squire. No entanto, em vez de se formar em Física, meu cachorro se formou em "Orientação Letárgica", um reconhecimento à sua tendência de tirar sonecas, já idoso.

Continuei em Irvine e conquistei o título de mestre e a credencial para ser professor. Também fiz alguns cursos de negócios que considerei úteis no mundo real. No entanto, encontrei alguns obstáculos na escola. Quando comecei a considerar a ideia de fazer doutorado em

Física, acabei me deparando com alguns empecilhos colocados por alguns professores e que pareciam estar relacionados ao fato de eu não enxergar. Fiz algumas pesquisas com um advogado e, no processo, tive acesso a um arquivo do departamento de Física. Descobrimos uma nota impressionante: "Uma pessoa cega não pode realizar o alto nível de trabalho necessário para obter um doutorado em Física."

Inicialmente, fiquei chocado. Depois, nervoso. Mas esses sentimentos foram embora rapidamente e restaram-me as palavras: *Por que não?*

Conforme isso acontecia, acabei encontrando um ótimo trabalho fora da universidade e decidi não seguir no doutorado. Mas também decidi viver o resto da minha vida seguindo o princípio do "por que não?".

E essas três palavras são meu segredo, o segredo por trás desse poder cego. Por que não? Por que não andar de bicicleta, ou dirigir um carro, ou jogar dardos, ou me tornar doutor em Física? Por que não tentar tudo apenas para ver se eu posso fazer?

Aqui está uma ótima citação de Milton Berle do meu arquivo de programas de rádio antigos. Ele resume perfeitamente: "Eu prefiro ser um 'pode ser' se não posso ser um 'é'. Afinal, um 'pode ser' é alguém que talvez esteja tentando alcançar as estrelas. Prefiro ser um 'foi' a ser um 'poderia ter sido'. Afinal, um 'poderia ter sido' nunca foi, mas um 'foi' um dia foi um 'é'".

Acho que há uma verdade na observação de que a vida passa diante de seus olhos quando você se depara com a morte ou com situações de estresse extremo. E então eu me lembrei da minha vida universitária enquanto eu descia as escadas no dia 11 de setembro de 2001. Eu buscava, durante todo o tempo, memórias que me ajudassem a sobreviver ao que quer que estivesse acontecendo com Roselle e comigo naquele momento de terror.

A temperatura nas escadas continua subindo consideravelmente. Eu me sinto um pouco mais animado, então tento lançar mais uma piadinha:

– Descer todas essas escadas é uma ótima forma de perder peso.

Mais risadas. Outras pessoas começam a fazer gracejos e todos parecem abrir um sorriso.

– Cara, e como eu preciso perder peso! – alguém diz.

– Depois disso, vou poder comer duas sobremesas hoje à noite! – E soam mais risos.

– Nunca mais quero ver uma escada na minha frente.

Todos nós concordamos.

Por um momento, as pessoas soam quase despreocupadas.

Quase.

Gritei de volta:

– Tenho uma ideia! No primeiro dia em que voltarmos a esta Torre, vamos todos nos encontrar no 78º andar às 8h45 da manhã e descer as escadas para perder peso.

Nós tínhamos passado de estranhos a colegas de equipe. De alguma forma, nossos medos e ansiedades se transformaram em proximidade e trabalho em equipe. As barreiras usuais foram derrubadas. Tudo o que tínhamos era uns aos outros.

Sabemos instintivamente que devemos trabalhar em conjunto para evitar o pânico, ou então pode ser que não saiamos vivos.

Dez degraus, uma volta, nove degraus.

– Trinta e nove... trinta e seis... trinta e quatro... – grita David.

Se as luzes se apagarem, Roselle e eu estamos prontos.

Então, ouço um murmúrio vindo de algum ponto mais abaixo nas escadas. Algo está acontecendo lá embaixo, e um golpe de tensão e de agitação atinge a fila.

Os bombeiros estão a caminho.

capítulo 7

Guerreiros com cães-guia

"A intuição é linear; nossas imaginações são fracas. Até mesmo o mais brilhante de nós só consegue extrapolar aquilo que conhecemos agora. E, na maior parte do tempo, nós temos medo de realmente forçar os limites."

RAYMOND KURZWEIL

A enorme língua de labrador de Roselle está caída para um lado. As escadas estão quentes e às vezes descemos em duas pessoas lado a lado, outras vezes em fila única, e começamos a nos aproximar do térreo cada vez mais. Desde a explosão até agora, conseguimos chegar ao 33º andar.

Ouço um tom de empolgação nas vozes das pessoas abaixo de mim e só consegui entender as palavras "garrafa de água!". Alguém abriu uma dessas máquinas de bebida e as pessoas estão passando garrafas de água gelada escada acima.

Eu passo algumas garrafas para as pessoas atrás de mim. Então abro uma e bebo alguns goles. A água fria é um alívio e parece doce comparada ao sabor pungente dos vapores.

Roselle cutuca minha mão. Seu focinho está quente e eu me pergunto se ela está sentindo o cheiro da água. Inclino meu corpo e ofereço-lhe a água. Ela começa a lamber a boca da garrafa. Eu inclino um pouco mais a garrafa para que ela possa beber todo o restante da água. Sei que ela deve estar com sede porque agora já faz algum tempo desde a última vez que bebeu água. Muitos cães-guia não comem nem bebem de manhã para não ter de interromper o trabalho para se aliviar, e Roselle não é diferente. Ela não come nem bebe nada desde ontem à noite. Ela termina de beber o conteúdo da garrafa e lambe as últimas gotas. Posso ouvi-la lamber os lábios e, em seguida, voltar a arfar. Minha cachorra ainda está com sede.

– Muito bem, garota – eu digo.

Suavemente, apoio minha mão na lateral da sua cabeça e esfrego meu polegar em sua bochecha. Outras pessoas à minha volta também pararam para beber água e eu percebo que elas estão ouvindo.

– Boa garota. Você está se saindo muito bem. Continue assim. Você consegue!

Sei que preciso permanecer calmo por Roselle. Se eu demonstrar medo ou começar a entrar em pânico, ela vai acabar percebendo e pode também se assustar. É importante que ela não sinta que eu estou amedrontado. Se isso acontecer, a situação ficará mais difícil para nós dois. Até agora, estamos calmos e concentrados, e eu estou conseguindo controlar meu medo.

Porém, há um medo não declarado em toda a nossa volta. O nível de pânico geral aumenta conforme descemos. Posso ouvi-lo nos sussurros, posso sentir a tensão nos passos ecoando à minha volta. Todavia, Roselle não reage. Ela está, naquele momento, segura de si mesma e de seu trabalho.

Contanto que ela esteja com a guia, mesmo em uma situação de vida ou morte, eu confio que Roselle vai continuar a fazer seu trabalho como sempre fez. Além do cheiro de combustível de aeronave, ela também consegue farejar o medo à nossa volta. Quando as pessoas sentem medo, seus sistemas nervosos autônomos reagem com um aumento da atividade das glândulas sebáceas, e as glândulas apócrinas produzem secreções que passam pelos folículos pilosos, resultando em um odor muito fraco que os cães são capazes de perceber. Eles não farejam exatamente a *emoção* medo, mas podem sentir o cheiro do resultado: um sinal olfatório inadvertidamente produzido pelo corpo e que denuncia que a pessoa está amedrontada. Os cães não são tão visuais quanto as pessoas, e seu principal sentido é o olfato, que se acredita ser mil vezes mais sensível do que o nosso. Roselle tem mais de 200 milhões de receptores olfativos em seu nariz, enquanto eu tenho apenas cerca de 5 milhões.[1] Esses receptores transmitem informações ao altamente desenvolvido bulbo olfatório do cérebro de Roselle, transformando-a em uma máquina receptora de cheiros. Ela vive em um mundo de cheiros, não de imagens, e, assim, também não depende da luz. Nós temos isso em comum.

Ela também tem ouvidos. Os cães conseguem ouvir ruídos quatro vezes mais distante do que os humanos. Isso significa que, se eu posso ouvir o que está acontecendo vinte degraus abaixo, ela pode claramente ouvir o que está acontecendo oitenta degraus abaixo. Roselle também tem um tato bastante apurado. Ela não se apoia apenas nos sinais que eu envio com minha mão na guia, mas todo o seu corpo é coberto por terminações nervosas sensíveis e, em volta de seus olhos, focinho e maxilar, ela tem pelos extremamente sensíveis chamados de vibrissas, que transmitem a ela informações sobre o ambiente continuamente.

Além de tudo isso, os cães parecem ter um sexto sentido e às vezes nos surpreendem prevendo terremotos ou encontrando o caminho de volta para casa mesmo estando longe. Eles podem ler nosso humor por meio de nossos feromônios, compostos químicos produzidos por nosso corpo em conjunto com as emoções. Os cães parecem ser sensíveis às mudanças no campo magnético da Terra e a ondas infravermelhas. E, como Roselle fez mais cedo os cães podem detectar mudanças repentinas na pressão atmosférica, como quando o temporal estava se formando.

---

1 Julio E. Correa, "The Dog's Sense of Smell", Alabama Cooperative Extension System. Disponível em: <http://www.aces.edu/pubs/docs/U/UNP-0066/>.

Pensar nas habilidades de Roselle me dá confiança. Nós vamos conseguir. Meu trabalho em equipe com ela e a confiança que ele transmite a cada um de nós parece contagiar as pessoas à nossa volta. Era quase como se uma zona de segurança se formasse ali. Na escada, estamos todos próximos e nossas defesas estão baixas. Tudo o que temos é uns aos outros e uma vontade de trabalhar juntos para sair disso tudo seguros. Nós somos fortes.

Alguns passos abaixo, David grita:

– Os bombeiros estão subindo as escadas. Movam-se todos para a lateral! – E então eu vou até onde David está.

É o 30º andar, e lá vêm eles. Conforme os bombeiros se aproximam, nós instintivamente formamos uma fila única para deixá-los passar. Eles trazem consigo muitos equipamentos. Além de vestirem casacos que descem até a coxa e calças compridas, a maior parte deles carrega entre 20 e 25 quilos de equipamentos, incluindo capacetes, luvas, machados e tanques de ar. Eles estão cansados e suando, e não estão nem na metade do caminho entre o solo e o fogo.

Posteriormente, relatos dos eventos do 11 de Setembro sugeririam que os bombeiros nas escadas não sabiam muito mais do que nós a respeito do que estava acontecendo. Celulares e rádios não estavam funcionando bem e a comunicação era, na melhor das hipóteses, ruim. Nas histórias contadas oralmente pelos poucos bombeiros que sobreviveram, eles afirmam que "não tinham ideia" dos detalhes do que estava acontecendo e que não sabiam "absolutamente nada" sobre a realidade da crise iminente.[2]

---

2 Jim Dwyer e Michelle O'Donnell. "9/11 Firefighters Told of Isolation Amid Disaster". *New York Times*, 9 set 2005. Disponível em: <http://query.nytimes.com/gst/fullpage.html?res=9904E1DC1331F93AA3575AC0A9639C8B63&sec=&spon=&pagewanted=print>.

– Ei, cara, você está bem? – Exatamente o primeiro bombeiro de uma fila enorme para e conversa comigo no 30º andar.

– Eu estou bem – sinto Roselle se movimentar e sei que ele a está acariciando. Aquele não parece ser exatamente um momento adequado para começar um sermão sobre não acariciar um cão-guia quando ele está em serviço.

– Vamos arrumar alguém para descer as escadas com vocês.

– Na verdade, não é necessário. As coisas estão indo bem e não acho que eu precise de ajuda.

– Bem, vamos pedir para alguém descer com você porque queremos ter certeza de que você chegará bem lá embaixo.

Penso nas milhões de folhas de papel queimando que chovem pelas janelas do meu escritório. *Esses caras precisam subir e acabar com o fogo.*

– Não precisa. – Posso perceber que ele está decidido a me ajudar. – Tenho uma cão-guia e nós somos bons nisso.

– Belo cachorro – diz ele, acariciando Roselle. Ela é amigável, como de costume, e mordisca suavemente a mão do bombeiro.

– De qualquer forma, é impossível se perder descendo as escadas. – Tento lançar uma descontração.

A voz do bombeiro se torna mais profunda e parece estar prestes a mudar de tom. Posso perceber que ele está acostumado a lidar com pessoas que atendem às suas ordens.

– Vamos pedir para alguém descer com você.

Digo para ele que minha deficiência visual não me deixa em desvantagem, mas agora também não é hora para dar um sermão sobre o assunto. Uso a última arma do meu arsenal.

– Veja, meu amigo David está aqui. Ele enxerga e nós estamos bem.

O bombeiro vira-se para David.

– Você está com ele? Está tudo bem? – David afirma que nós estamos bem.

Ouço-o encolher os ombros e reajustar o reservatório em suas costas, e sei que está prestes a voltar a subir. Os homens abaixo dele se agitam, inquietos. Eles estão ansiosos por subir e chegar ao problema.

– Há algo que possamos fazer para ajudá-los? – eu pergunto.

– Não – ele responde. – Vocês precisam ir.

Ele acaricia Roselle uma última vez. Ela beija a sua mão e, logo em seguida, ele segue seu caminho escada acima. Eu posteriormente me daria conta de que aquele toque foi provavelmente a última demonstração de amor incondicional que aquele homem recebeu.

Aperto a guia com minha mão. A água acabou há muito tempo e já posso sentir outra vez o fedor do combustível de avião.

– Em frente. – Continuamos descendo as escadas. Penso em Roselle e no bombeiro e me pergunto: *Será que ela sente o cheiro da coragem?*

Tive toda uma vida para desenvolver as habilidades necessárias para andar por um mundo que não foi criado para mim. E, se há uma coisa que eu realmente aprendi, é: a visão não é a última bolacha do pacote.

Ser cego não é um obstáculo; é algo com que eu sempre vivi. O verdadeiro obstáculo surge do preconceito que as pessoas têm com relação a isso. Eu sabia que o bombeiro estava apenas tentando ajudar, mas às vezes não é de ajuda que eu preciso. Mesmo assim, não consegui me esquivar dele até apontar e mostrar que eu tinha um colega que enxerga "me ajudando".

Eu apenas lanço mão de algumas ferramentas diferentes das usadas por outras pessoas. Uma dessas ferramentas que conquistei pela vida me permitiu fazer algo que eu sempre quis: pilotar um avião. Mas primeiro, permita-me contar-lhe algumas das outras ferramentas.

Tudo começou com o braille, minha entrada no mundo das palavras e das ideias. Infelizmente, a maioria dos cegos não consegue ler braille. Esse sistema tátil, desenvolvido por Louis Braille na Paris de 1821, é uma linguagem para leitura e escrita que todos os cegos deviam aprender a usar. A partir de combinações de até seis pontos em relevo, é possível interpretar códigos impressos equivalentes a letras do alfabeto ou a combinações de letras usando o dedo.

Na quarta série, meus pais me trouxeram da Alemanha uma máquina de escrever braille chamada Marburg. Uma máquina de escrever braille é um aparelho feito de madeira e metal com aproximadamente metade do tamanho de uma máquina de escrever comum. A máquina traz seis teclas em braille e uma tecla de espaço, em geral de madeira e cobertas com marfim. As seis teclas operam o mecanismo que produz pontos para formar as letras, contrações ou símbolos do sistema. A alimentação de papel ocorre por um rolo cilíndrico. Os botões que giram em ambos os lados do cilindro alimentam a máquina com papel.

A Perkins Brailler, fabricada pela Perkins Products/Howe Press em Massachusetts, era a melhor máquina de escrever braille do mercado, mas custava mais de 100 dólares – uma pequena fortuna naquela época. A Marburg custava metade do preço, então eu a usei durante três anos, antes de o Lions Club comprar uma Perkins para mim.

Quando eu tinha nove anos, descobri os audiolivros e fiquei encantado com Perry Mason, o advogado de defesa decidido a provar a inocência de seus clientes, e Nero Wolf, o detetive particular gordo e amante da comida. Ouvi muitos livros clássicos e contemporâneos gravados em discos de 12 polegadas. Aqueles livros eram criados por um programa administrado pela Biblioteca do Congresso dos Estados Unidos. Bibliotecas especiais foram criadas por todo o país para distribuir ou emprestar audiolivros aos cegos. Alguns eram formados por dez a doze discos, e eu me lembro de ter ouvido rumores de que a gravação de *Ascensão e queda do terceiro Reich* era dividida em 56 discos (por isso, achei melhor pular essa obra).

Até hoje ouço audiolivros, trabalho em meu computador, e uso braille diariamente. No entanto, em vez de uma máquina de escrever em braille manual feita de madeira, metal e marfim, uso um BrailleNote, um pequeno computador aproximadamente do tamanho de um livro médio e com um display tátil que me permite ler e escrever eletronicamente em braille, sem precisar de um monitor.

Outra ferramenta tecnológica que eu utilizo diariamente é um *smartphone* que fala. Tenho um software em meu computador que opera um leitor de tela que, por sua vez, verbaliza as informações contidas em documentos, tabelas e sites na internet. Depois de anos de prática, posso ouvir e decifrar as vozes do meu leitor de tela a centenas de palavras por minuto. A voz soa mais ou menos como um leiloeiro acelerado, mas ela me permite acesso rápido a e-mails e documentos.

Poucos anos atrás, surgiu um divisor de águas que me permitiu fazer algo que eu nunca pensei que seria capaz de fazer: ler minha correspondência. Pense nisso. Para uma pessoa cega ler suas correspondências, ela precisa pedir a um amigo ou contratar um assistente para ajudá-la. Mas agora, graças ao K-NFB Reader da Mobile Products, posso ler qualquer material impresso – menus, revistas, manuais de instruções, rótulos, receitas ou até mesmo lixo eletrônico. Funciona assim: usando um telefone celular, o usuário tira uma foto do material impresso a ser lido e o software de reconhecimento de caracteres, em conjunto com um transformador de texto em fala de alta qualidade, lê o conteúdo do documento em voz alta.

O K-NFB Reader é o bisneto da máquina leitora de Kurzweil, o primeiro sistema de reconhecimento óptico de caracteres *omnifonte* do mundo. Esse aparelho extraordinário foi inventado por Raymond Kurzweil, um futurista que criou um programa de computador capaz de reconhecer textos escritos com qualquer fonte. Antes disso, os scanners só conseguiam ler textos escritos em pouquíssimas fontes.

Kurzweil sabia que queria ser inventor desde os seis anos de idade. Enquanto estudava no Massachusetts Institute of Technology (MIT), passou a se interessar pelo uso de computadores com o objetivo de reconhecimento de padrões. Suas ideias eram inovadoras, mas precisavam se tornar aplicáveis ao mundo real.

Um dia, Kurzweil estava em um avião e engatou uma conversa com um homem cego sentado ao seu lado. Perguntou que tipo de tecnologia seria mais interessante para ajudar a suprir as necessidades de uma pessoa cega. Kurzweil esperava que a resposta fosse algo ligado à mobilidade. Em vez disso, o homem disse que a tecnologia mais útil seria um aparelho que conseguisse ler textos impressos.

Depois daquela conversa acidental, Kurzweil decidiu que a melhor aplicação para sua tecnologia de escanear envolveria a criação de uma máquina de leitura que permitisse aos cegos compreender textos escritos.

Em meu primeiro emprego, logo que saí da faculdade, por um golpe de sorte memorável, tive a oportunidade de trabalhar com Raymond Kurzweil ("Ray"), agora um inventor e futurista internacionalmente reconhecido.

Ray fez seu primeiro contato com a NFB com a ideia de criar um equipamento para leitura, já em 1974. Num primeiro momento, os responsáveis na NFB se mostraram céticos, mas, depois de uma demonstração reveladora no laboratório do inventor, em Rogers Road, Massachusetts, no qual a máquina de leitura leu parte do material que a NFB levou, as duas partes deram início a um trabalho conjunto. Com a ajuda de Ray, a NFB arrecadou fundos e comprou cinco máquinas que foram colocadas em pontos diferentes do país para serem usadas por pessoas cegas. Aqueles eram protótipos e tinham aproximadamente o tamanho de uma máquina de lavar roupas. A máquina de leitura usava um scanner de mesa e escaneava apenas uma linha de cada vez. Eram necessários aproximadamente 35 segundos para escanear uma página de texto de aproximadamente 21 × 27 centímetros e mais um minuto para o texto ser reconhecido e a leitura em voz alta começar.

As primeiras cinco máquinas foram colocadas nos seguintes pontos: Commission for the Blind; Blind Industries and Services of Maryland; New York Public Library; University of Colorado; e Orientation Center for the Blind, em Albany, Califórnia (posteriormente levada para a San Francisco Public Library).

Aqueles aparelhos eram apenas protótipos e precisavam ser aprimorados. Então, quando terminei a faculdade, fui contratado pela NFB para trabalhar com James Gashel, diretor de assuntos governamentais da Federação, e testar as máquinas no mundo real. Meu trabalho consistia em ensinar as pessoas a usarem aqueles aparelhos e a criar formulários com feedback. Eu viajava de um lugar a outro, coletava dados sobre como as pessoas estavam usando as máquinas e os incorporava a relatórios de recomendações para o modelo de produção das máquinas. Eu era o cara do dia a dia. E me diverti muito viajando pelo país ensinando as pessoas a usarem as máquinas e a terem uma boa experiência para que pudessem nos oferecer feedback. Minhas descobertas ajudaram a refinar o design e a transformar o aparelho em uma máquina de uso mais fácil. Eu até mesmo ajudei na criação do conceito de uma "tecla nomeadora", que fazia a máquina ler em voz alta os nomes e as funções das teclas de controle. Também criamos um controle de contraste para fazer as impressões fracas parecerem mais escuras, o que permitia que as primeiras máquinas conseguissem ler mais partes do material.

Em 1978, comecei a trabalhar diretamente para Ray na Kurzweil Computer Products. Eu fazia a mesma coisa de antes, trabalhando em estudos sobre o fator humano e descobrindo formas de melhorar as máquinas e tornar seu uso mais fácil. Posteriormente, acabei indo trabalhar com as vendas da versão comercial do produto. Fiz um curso de vendas na Dale Carnegie e ajudei a levar a máquina de leitura para o mundo corporativo – e ela se tornou um excelente produto para empresas que queriam escanear documentos. Posteriormente, a Xerox comprou a empresa de Kurzweil para ter acesso à tecnologia de escaneamento e trouxe sua própria equipe para os escritórios. E fui o último funcionário "não Xerox" a ser demitido do setor de vendas.

Durante o período que passei em Boston, acabei me tornando amigo de Aaron Kleiner, que tinha sido colega de quarto de Ray no MIT e que trabalhava diretamente com ele. Certa vez, convenci Aaron a ir comigo assistir ao filme *Guerra nas estrelas*. Aquilo era uma grande produção e as filas eram enormes. Ele não conseguia acreditar que um cara cego queria ir ao cinema, e achou ainda mais hilário quando lhe pedi para descrever as cenas.

– Foi um desafio – ele afirma. – Eu nunca vou me esquecer de quando tentei descrever a cena da cantina. "Ah, tem um cara com cabeça de gafanhoto e corpo de cavalo..."

Aaron e eu tivemos uma experiência ainda mais interessante em um restaurante requintado na Back Bay, em Boston. Estávamos em três: Aaron, sua esposa e eu. Assim que passamos pela porta da frente, o maître olhou para meu cão-guia, Holland, e disse:

– Sinto muito. Não permitimos a entrada de cachorros. Você não pode entrar. – Eu não fiquei chateado, afinal, já tinha passado por aquilo antes.

– Está errado – eu disse. – Eles não conhecem a lei.

Deixamos o restaurante e fomos jantar em outro lugar, mas a esposa de Aaron tremia de tão furiosa. Então, eu disse a ela:

– Não se preocupe. Eu sei o que fazer.

No dia seguinte, imprimi uma cópia da lei do cão-guia e entrei em contato com a divisão local da NFB. Reuni mais seis ou sete pessoas com seus cães-guia e voltamos ao restaurante do maître pretensioso. Abrimos a porta e entramos: um grupo de guerreiros cegos com seu cães de confiança.

O maître ficou parado. Olhou para nós. Piscou. Considerou suas opções. E cedeu.

– Bem-vindos – disse ele.

Tivemos um jantar maravilhoso e fomos muito bem tratados. A equipe do restaurante foi solícita e eles chegaram a oferecer comida aos cães-guia.

Blind power.

A máquina leitora de Kurzweil foi revolucionária. Em 13 de janeiro de 1976, o produto final foi lançado por Raymond Kurzweil e pela NFB durante uma conferência de imprensa. O aparelho rendeu reconhecimento nacional a Ray. No dia do lançamento, Walter Cronkite usou a máquina para encerrar o jornal da CBS com seu característico "E esse foi 13 de janeiro de 1976". Durante o *Today Show*, o músico Stevie Wonder ouviu uma demonstração do aparelho e comprou a versão de produção da máquina leitora de Kurzweil, dando início a uma longa amizade com Ray, que foi posteriormente levado ao National Inventors Hall of Fame por essa invenção. Além disso, recebeu a Medalha Nacional de Tecnologia do presidente Bill Clinton pelo pioneirismo em novas tecnologias.

Ray sempre se interessou pela música e deu início a um empreendimento para desenvolver os mais modernos sintetizadores. Acabou vendendo a empresa para a Yamaha. Mais tarde, começou a trabalhar com reconhecimento de voz, e os programas mais bem-sucedidos do mercado atual usam como base algoritmos por ele criados.

Aquela máquina leitora do tamanho de uma máquina de lavar, que originalmente custava 50 mil dólares, agora não vale mais do que 200 dólares, e eu levo o software no meu telefone para poder ler qualquer coisa, em qualquer lugar, a qualquer momento.

Ah, falta falar da última ferramenta – a que me permite dirigir um avião. Não muito tempo atrás, comprei um sistema GPS que podia ser integrado ao meu tomador de notas braille. Esse sistema foi desenvolvido por outro homem cego, Mike May, e por sua empresa, a Sendero Group.

Tinha de participar de uma palestra em Idaho. Meu cunhado, Gary Ashurst, pediu que eu fizesse um discurso em Hailey, Idaho, e também pediu a um amigo que viesse até Boise para me buscar em seu avião particular.

Era um dia lindo e claro de outono. Enquanto caminhávamos em direção ao Cessna de quatro assentos, o piloto percebeu que eu trazia comigo meu BrailleNote pendurado sobre o ombro. Ele também examinou meu novo receptor GPS e começou a fazer perguntas. Antes de decolarmos, mostrei a ele como o aparelho funcionava e disse que o usaria para rastrear nosso voo.

Acomodei Roselle no avião, apertei o cinto e decolamos.

Pouco depois de deixarmos a pista, o piloto me fez uma pergunta que eu jamais achei que escutaria:

– O que você acha de pilotar o avião até Hailey?

Eu não precisei de um segundo convite. Afinal, se eu tinha aprendido a ouvir a mesinha de café, a andar de bicicleta em Palmdale, a subir em um cavalo, a jogar golfe e dirigir pelo campus da universidade em Irvine, eu certamente conseguiria pilotar um avião.

Como eu estava sentado no banco do lado direito, que também tinha acesso total aos equipamentos necessários para pilotar, assumi o controle. Recebi algumas instruções sobre como usar os controles mais importantes, e então o piloto liberou as operações para mim. Meu GPS, no qual tanto confio, guiou-me pelos céus de Idaho durante uma hora, até o aeroporto de Hailey. Roselle roncou durante todo o voo.

Com mais algumas poucas instruções, consegui pousar a aeronave. No processo, percebemos que o altímetro do GPS não era muito preciso. Aliás, de acordo com o aparelho, nós estávamos trinta metros abaixo do que realmente estávamos. Isso não me incomodou muito. Para mim, era melhor pensar que estávamos mais baixo do que pensar que a aeronave estava em uma posição mais alta do que realmente estava.

A tecnologia está mudando as regras do jogo para as pessoas cegas. E nem o céu é o limite.

capítulo 8

Esqueci que você é cego

"O preconceito vem de se viver no escuro. A luz do sol acaba com ele."
MUHAMMAD ALI

Os bombeiros continuam subindo as escadas. Quase todos eles param para olhar para mim, Roselle e David. As mesmas palavras repetidas outras e outras vezes:

– Você está bem?

– Eu estou bem. Obrigado – é minha resposta.

– Você está com ele? – Os bombeiros perguntam a David.

– Sim, estou com ele. Nós estamos bem. Obrigado.

Conforme os bombeiros passam, as pessoas batem palma espontaneamente de tempos em tempos. Ouço as pessoas lhes agradecendo e dando tapinhas em seus ombros. Todos respiram pesadamente.

O progresso é lento agora. Quanto mais nos aproximamos do térreo, mais rápido, e não mais devagar, eu quero ir.

As pessoas sempre se surpreendem com a rapidez com que eu ando. É claro que as coisas são diferentes quando eu estou explorando um lugar pela primeira vez. Eu costumo deixar meu cão-guia em casa e usar minha bengala branca como extensão das minhas mãos. Ela bate de um lado para o outro no chão, nas paredes e nos objetos em meu caminho, e eu a uso para avaliar a topografia. Ela se torna uma sonda, e eu uso as informações que ela me transmite para formar um mapa com uma representação gráfica, tridimensional e detalhada da nova área. Fiz isso com o World Trade Center logo que comecei a trabalhar lá, explorando-o de cima a baixo até que eu conhecesse o local tão bem quando as ranhuras das calçadas de Palmdale.

A maioria das pessoas pensa que a bengala é apenas uma ferramenta para detectar objetos no caminho, mas ela é muito mais do que isso. O bater da bengala cria sons distintos pelo terreno. Terra, pedras, cimento, asfalto, azulejo e borracha criam sons diferentes, e quem se acostuma a andar com a bengala é capaz de detectar esses sons e identificá-los. No entanto, as pancadinhas também criam um eco que as pessoas mais experientes aprendem a usar para decodificar informações sobre a geografia do espaço à sua volta, exatamente como eu fazia ao ouvir os pneus da minha bicicleta quando andava pela vizinhança de Palmdale. Por exemplo, se estou andando em um estacionamento, o som da pancada muda se há um carro estacionado à minha frente bem antes de eu efetivamente encostar minha bengala nele. Conforme eu caminho entre os carros, o som das pancadas muda outra vez quando me aproximo do meio-fio – as ondas sonoras batem contra os dez ou quinze centímetros de cimento e criam um eco distinto. Com o tempo, aprendi a obter uma vastidão de informações com as pancadinhas da minha bengala.

A ecolocalização humana, como ela é chamada, também funciona com o estalar os dedos, o bater de pés e com o barulhos produzidos com a boca. Embora ela seja parecida com o sonar e a ecolocalização usada por animais, os humanos produzem sons em frequências muito mais baixas e muito mais lentas do que os morcegos e os golfinhos.

Portanto, para nós, ela funciona normalmente com objetos maiores. Em outras palavras, eu não posso localizar e acabar com um mosquito maldito com barulhos da boca ou pancadas de bengala. Terei de deixar isso para os morcegos. No entanto, a ecolocalização humana funciona tão bem a ponto de homem cego chamado Daniel Kish treinar pessoas para usar essa habilidade para realizar atividades como andar de bicicleta na montanha. Outro homem, chamado Ben Underwood, usa a ecolocalização para correr, jogar basquete e andar de patins e de skate.

Como eu venho usando minha bengala desde a adolescência, consigo andar bastante rapidamente. Gosto de usar uma bengala longa, de modo que eu possa estendê-la quase um metro à minha frente.

Com Roselle eu consigo andar com a mesma velocidade, exceto quando ela realiza o trabalho de evitar objetos e me ajuda a andar de forma mais eficiente, já que ela faz as melhores escolhas para evitar obstáculos. Roselle me estuda constantemente e se adequa à minha velocidade. Em mais de uma ocasião eu precisei correr por saguões de aeroportos para não perder um voo, e é muito provável que pessoas tenham se virado para mim enquanto eu apertava o passo. Em geral, Roselle consegue manter o ritmo.

O ritmo lento nas escadas é frustrante, embora compreensível. Agora nós nos arrastamos por entre os bombeiros (que usam o lado esquerdo da escada para subir) e a quantidade de pessoas é cada vez maior.

– Vinte e oito... vinte e cinco... vinte e dois... – conta David.

No 20º andar, o chão se torna um pouco escorregadio. *Por quê? O que é isso? Alguém derrubou água? O extintor? Suor?* Ninguém diz nada, então o líquido deve ser transparente. Suponho que seja água. Mas, independentemente do que seja, está dificultando meu trabalho. Eu me concentro e seguro no corrimão com um pouco mais de força.

Sou ainda mais cuidadoso com meus pés. Os movimentos e os ritmos de Roselle não mudaram. Ela parece não ter percebido que os degraus se tornaram escorregadios. Mas eu preciso estar ciente de cada movimento se ela escorregar, ou se eu precisar me movimentar mais rapidamente (o que aumentaria minhas chances de escorregar).

– Dezoito... quinze... treze...

Tento controlar minha respiração. A respiração de Roselle está acelerada. *Será que nós vamos desmaiar por ter inalado todos esses gases?*

Verifico meu relógio. São 9h35 da manhã. Levamos vinte minutos para descermos do 78º ao 30º andar. No entanto, depois que alcançamos os bombeiros, o progresso se tornou mais lento, e agora estamos praticamente rastejando. Mas estamos chegando mais perto.

– Dez... nove... oito... sete... seis...

Agora eu quero sair dessas escadas. Estou cansado de contar. Minhas pernas começam a vacilar. Quero ar fresco. Quero telefonar para Karen.

– Cinco... quatro... três... dois...

Estamos tão perto. Se não estivéssemos cercados de pessoas, eu correria.

– Primeiro andar! – Grita David. – Os extintores estão ligados e nós teremos de passar por uma cachoeira na base das escadas.

Ele não está brincando. Segundos depois, quando chegamos ao térreo e deixamos as escadas, ouço os extintores vibrarem e a água jorrar pelos azulejos do saguão. Roselle me puxa para baixo e abaixa a cabeça para beber a água do chão. Sei que ela está com sede.

Espere! O que tem nessa água? Com o cheiro de combustível de avião ainda forte em meu nariz e em minha garganta, receio que a água possa estar contaminada. Detesto ter de fazer isso, mas puxo com força a guia de Roselle para forçá-la a parar de beber.

– Você vai ter de parar!

Ela responde, graciosa como sempre, e olha para mim. Eu paro por uma fração de segundo, enquanto a cachoeira continua caindo sobre nós. Então é hora de respirar fundo. Hora de correr.

– Em frente!

Um jato de água cai sobre mim. Ele é mais frio e mais forte do que qualquer ducha que eu já tomei. Depois do calor e dos gases nas escadas, aquilo parece um batismo, uma iniciação fresca e revitalizadora para nos dar as boas-vindas de volta à vida.

Nós conseguimos! Nós conseguimos sair!

Eu quase não consigo acreditar.

– É isso aí, Roselle! Você fez um ótimo trabalho!

Estamos agora no lobby da Torre Norte e passo alguns momentos acariciando a cabeça e a nuca de Roselle. Ela esfrega a bochecha na minha mão e logo em seguida se afasta e sacode o corpo, começando pela cabeça. Eu solto a guia, mas continuo segurando Roselle com minha mão esquerda.

– É isso aí, Roselle! – digo mais uma vez. – Pode se sacudir e deixar tudo para trás.

Sei o que está por vir. Ouço-a empurrando as orelhas para frente e para trás; então, como toda boa sacudida canina, os movimentos seguem por sua coluna e chegam até a cauda conforme ela tenta se livrar da água. Algumas gotículas atingem minha mão.

– Bom trabalho, Roselle. Boa garota. Boa garota! – E seguro a guia outra vez. É hora de ir para casa.

David se aproxima.

– Vamos – diz ele.

O saguão está um caos, com pessoas andando por todos os lados e correndo pelo piso molhado. É uma zona de guerra. A água que bate em nossos tornozelos traz consigo destroços, incluindo o forro do teto e materiais de construção, além de papéis. As equipes de emergência gritam e acenam para que as pessoas sigam na direção das portas. As vozes são ansiosas, cansadas, abatidas. Um homem se aproxima e se identifica como sendo do FBI.

– Venham por aqui – ele ordena.

– Aonde você quer que a gente vá?

Ele nos direciona para as portas giratórias do centro comercial no subsolo.

– Obrigado – grito, virando minha cabeça para trás enquanto nos distanciamos. – Obrigado por sua ajuda.

No meio daquele inferno na Terra, quando todos os instintos deviam lhe dizer para sair, ir embora, correr para longe sem se atrever a olhar para trás, aquele homem permanece ali e oferece ajuda. E ele é apenas um de muitos.

Quando finalmente consegui escapar da Torre Norte naquele dia, eu não tinha ideia de que aquela seria a última vez que eu colocaria meus pés no prédio. É curioso: hoje em dia, quando eu falo sobre minhas experiências no 11 de Setembro, algumas pessoas supõem que eu estava lá visitando, ou talvez como turista.

– O que você estava fazendo no 78º andar? – elas me perguntam.

Posso detectar um leve tom de surpresa quando elas começam a se dar conta de que, naquele dia, eu estava trabalhando – assim como milhares de outras pessoas.

Mas às vezes, quando penso em tudo isso, eu também me surpreendo. A taxa de desemprego entre os cegos é assustadora. Segundo a Social Security Administration, na primeira década do século XX, cerca de 70% das pessoas cegas nos Estados Unidos que tinham condições de trabalhar estavam desempregadas. Os motivos pelos quais tantos cegos não conseguem encontrar emprego são o fato de eles serem imediatamente rejeitados por serem cegos e a sensação de desencorajamento gerada por outras buscas frustradas de emprego.

Eu consigo entender. Certa vez, eu tinha uma entrevista de emprego agendada em San Jose, na Califórnia, para uma empresa que trabalhava com novos produtos de tecnologia de voz. Na noite anterior ao meu voo rumo ao norte do estado, o *headhunter* que estava coordenando o processo me telefonou:

– Percebi, relendo seu currículo, que você trabalhou para várias organizações que realizam trabalhos orientados para pessoas cegas, como a National Federation of the Blind – disse ele.

– Sim. É verdade. Eu sabia aonde aquilo chegaria.

– Alguém na sua família é cego?

– Não. Eu sou cego.

No início da manhã seguinte, a entrevista tinha sido cancelada.

Meu amigo, doutor James Nyman, ex-diretor da Nebraska Services for the Blind, enfrentou uma situação parecida logo que entrou no mercado de trabalho, buscando emprego como professor universitário. Ele se lembra de ter recebido "pelo menos duas cartas de recusa que declaravam abertamente que uma pessoa cega não conseguiria cumprir as responsabilidades de um docente da universidade". James acredita que a atitude das empresas tem melhorado com o passar dos anos, mas garante que o preconceito ainda existe, embora encoberto.

– É muito improvável que encontremos esse tipo de declaração aberta na atmosfera de consciência social de hoje em dia, mas as formas mais sutis de preconceito são provavelmente as mais difíceis de ser combatidas – afirma Nyman.[1]

Nós, cegos, nos deparamos com barreiras desnecessárias, e nós podemos fazer muito mais coisas do que as pessoas acreditam. Mas também aprendi que, em vez de pensar na cegueira como uma deficiência ou limitação, posso vê-la como algo que me ajuda. Aliás, na minha carreira em vendas, o fato de eu ser cego acabou se tornando um grande trunfo.

Em primeiro lugar, eu não me vejo como "Michael Hingson, o cego". Há outras formas muito mais acuradas de me descrever. Também sou marido, amigo, filho, irmão, primo, dono de cães, gerente de vendas, formado em Física, entusiasta de programas antigos de rádio, escritor, orador, *networker*, adorador de churrascos, alguém que sabe fazer sorvetes, humorista, amante dos livros, alguém que anda a cavalo, religioso, nerd, pianista, viajante e dançarino. E isso é só o começo. "Cego" está em algum lugar, mas provavelmente no fim da lista. Um

---

1 James S. Nyman, "Unemployment Rates and Reasons: Dissing the Blind", *Braille Monitor*, mar. 2009. Disponível em: <http://www.nfb.org/images/nfb/Publications/bm/bm09/bm0903/bm090307.htm>.

dos maiores elogios para mim é ouvir alguém dizer "esqueci que você é cego". Quando isso acontece, passo a ter certeza de que aquela pessoa está se relacionando comigo por eu ser uma pessoa multifacetada, e não pelas lentes da minha cegueira.

Ellery, meu irmão, lembrou-me recentemente de como se deu meu primeiro encontro com sua esposa, Gloria. Os dois tomaram um trem e viajaram até Boston para se encontrar comigo. Como é de se esperar em um cara normal, Ellery não contou muito a meu respeito para ela. Eu era apenas Mike, seu irmão. Na época eu ainda era solteiro e então me encontrei com Ellery e Gloria na estação de trem e os levei até um táxi. Eram quase 4h30 da tarde e o trânsito estava lento. Ensinei o motorista do táxi a usar alguns atalhos no caminho de volta para meu apartamento, o que permitiu que nos livrássemos de parte do congestionamento. Em meu apartamento, depois de conversarmos um pouco, preparei lagosta para nós três jantarmos. O prato ficou uma delícia. E passou quase a noite toda antes que Gloria percebesse que eu era cego. Isso também foi uma delícia – simplesmente três pessoas em um jantar maravilhoso, desfrutando da companhia umas das outras.

Depois que minha tarefa na Kurzweil Computer Products chegou ao fim, procurei outras colocações na área de alta tecnologia. Eu gostei do desafio das vendas e de trabalhar com os clientes para entender suas necessidades. Em meados da década de 1980, abri, com um amigo, uma empresa especializada na venda de sistemas de computadores, incluindo alguns dos primeiros sistemas de desenho assistido por computador (CAD) usado pelos arquitetos. Nós nos saímos bem, mas não ganhamos muito dinheiro. Pode parecer estranho o fato de uma pessoa cega vender sistemas CAD – até você realmente pensar no assunto. Quando os arquitetos vinham ver nossos produtos e pediam uma demonstração, eu pedia para eles se sentarem na frente da tela e perguntava o que eles queriam desenhar ou como eles realizariam o trabalho em suas mesas de desenho. Eu então fazia uma demonstração dos passos para se desenhar no sistema CAD para que, ao final da apresentação, eles fizessem seus próprios desenhos e pudessem até mesmo conduzir um tour tridimensional do que tinham desenhado. Minha cegueira fazia os clientes se envolverem ainda mais do que se envolveriam se uma pessoa com visão fizesse a mesma apresentação.

Depois de alguns anos, decidimos fechar as portas e eu me vi novamente na área de vendas, trabalhando para várias empresas diferentes que produziam sistemas especiais de discos e de backup em fita para clientes que processavam grandes quantidades de dados críticos em suas empresas e precisavam de um método seguro para armazenar seus registros. Nós ajudávamos a vender sistemas que pudessem criar e manter bibliotecas de dados para empresas nas áreas governamental, de saúde, de mídia e entretenimento, de educação e de finanças.

Eu adorava meu trabalho e realizava minhas vendas por telefone e pessoalmente. Quando agendava encontros com os clientes, costumava não dizer que eu era cego não por pensar que aquilo fosse fazer alguma diferença, mas porque eu simplesmente não me lembrava de fazê-lo. Mas quanto mais eu trabalhava com vendas, mais eu percebia que minha cegueira tinha certo valor naquele ramo. Não estou dizendo que eu tentava fazer as pessoas sentirem dó de mim. Aliás, acho que nunca fechei uma venda motivada por pena, por fazer um cliente se sentir mal com o fato de eu ser cego. Esse é um truque que eu nunca usei porque, em primeiro lugar, eu nunca me senti deficiente.

Mas se há uma área em que o fato de eu ser cego se mostrou útil é a demonstração de produtos. Quando eu mostrava para as pessoas os passos para operar e solucionar problemas dos produtos, quase conseguia ouvir as rodas girando na cabeça dos clientes: "Meu Deus, se um cego consegue operar isso, qualquer pessoa consegue".

E então havia o "fator cachorro". Ter um cão-guia se mostrou bastante útil em algumas situações. Os clientes costumavam se mostrar mais abertos para conversas e, mesmo se eu sentisse que estavam me olhando torto, eles não conseguiriam me enxotar tão rapidamente. Trabalhei duro para criar relações, para entender as necessidades dos clientes e resolver problemas me apoiando em soluções criativas. Se eu não tinha uma solução viável, procurava oferecer alternativas. Depois de fazer tudo o que estava ao meu alcance, eu parava de falar, pegava o pedido e esperava. E me saía bem.

Enquanto trabalhava para traçar meu caminho de um humilde representante de vendas a gerente de vendas, viajei milhares de quilômetros e trabalhei com algumas pessoas ótimas em uma empresa chamada Artecon.

Meus representantes de vendas e eu nos divertíamos muito. Eu costumava brincar dizendo que eles estavam "*dialing for dollars*" (telefonando por dólares), uma frase que aprendi em um programa de TV de baixo orçamento que levava esse nome. Nós trabalhávamos em baias e eu buscava manter a atmosfera agradável e descontraída.

Uma vez por mês, eu reunia todo o pessoal de vendas e alugava um ônibus para levar todos ao George's Burgers, uma lanchonete em São Marcos. Certa vez, eles me deixaram dirigir o ônibus no estacionamento.

– Puxe o câmbio para o "R" se precisar dar ré – eles me diziam.

– Espero que eu encontre a opção em braille antes de eu bater na sarjeta – eu brincava.

Uma das minhas representantes de venda favoritas era Billie Castillo. Billie era cheia de energia e não sabia muito sobre tecnologia quando começou a trabalhar com a gente, mas sua energia compensou a falta de conhecimento.

– Eu era uma novata na área de vendas e não sabia a diferença entre disco e fita de computador. Você me transformou na "rainha da world wide web" – ela disse recentemente.

Billie não gostava muito de viajar de avião, especialmente durante o inverno, quando as asas tinham de ser descongeladas antes da decolagem. Ela sempre disse que eu tinha um efeito calmante para ela.

– Tem a ver com a sua personalidade, com essa coisa de não sentir medo. Você está tão acostumado a se adaptar e a reagir ao ambiente.

Eu viajei muitas milhas com Billie. Nós desenvolvemos uma ótima estratégia usando meu cão-guia Klondike em feiras de negócios. Quando passávamos pelos outros estandes para verificar os produtos de nossos concorrentes, Klondike atraía a atenção das pessoas, que esperavam para tocar nele ou fazer perguntas.

– Ah, seu cachorro é tão lindo. Posso passar a mão nele?

Depois que reuníamos um grupinho de adoradores de cães, trazíamos Klondike lentamente de volta ao nosso estande (e, como resultado, aquele grupo de pessoas vinha junto com ele). Em uma ou duas ocasiões, Klondike acidentalmente pisou nos cabos de energia e interrompeu o fornecimento de eletricidade nos outros estandes. Mas quem consegue ficar nervoso com um belo golden retriever?

Em 1996, fui parar em um escritório no World Trade Center pela primeira vez, quando abri o escritório regional de vendas da Artecon em Nova York.

Uma coisa que me deixava impressionado no World Trade Center era a sua segurança rigorosa. Depois dos atentados de 1993, eles estabeleceram medidas rígidas para controlar e monitorar quem entrava e saía do prédio. No saguão, eles solicitavam que você mostrasse sua identidade. Se fosse visitante, eles verificavam se seu nome estava em uma lista ou telefonavam para a empresa que você visitaria para verificar se o estavam esperando. Depois que sua identidade fosse verificada e sua visita autorizada, eles tiravam uma fotografia e criavam um crachá com um código de barras. No entanto, o fato de você ter um crachá não significava que você poderia andar por todo o prédio – o crachá tinha acesso limitado a alguns andares.

Alguns anos e alguns empregos mais tarde, fui parar outra vez no World Trade Center, dessa vez com a Quantum. Em 2000, abrimos um escritório no 78º andar da Torre 1, a Torre Norte. Eu era o gerente regional de vendas e dessa vez tinha um crachá da Port Authority que me dava acesso total, o que significava que eu podia ir a qualquer lugar do prédio, inclusive às garagens no subsolo. Mantive meu costume de, sempre que possível, tomar caminhos diferentes, explorei-o e aprendi toda uma gama de atalhos. Antes de trazer meu cão-guia, eu costumava usar minha bengala branca para explorar a construção e criar um mapa mental para saber onde eu estava.

Um dos meus melhores representantes de vendas de todos os tempos era Kevin Washington. Se você consegue vender em Nova York, consegue vender em qualquer lugar do mundo. E Kevin conseguia vender em Nova York. Ele era sarcástico e adorava fazer gracejos. Kevin chamava minha bengala branca de "bastão de ninja". Ele também gostava de me desafiar e de tentar fazer com que eu me perdesse. Kevin andava comigo até certo ponto no subsolo ou na garagem e se distanciava para ver se eu conseguiria encontrá-lo. E ficava impressionado com a forma como eu me movia pelo prédio. Chamava-me de Batman porque eu tinha "um radar embutido, como se fosse um morcego".

– Nós sabemos que você enxerga – Kevin costumava dizer em tom de brincadeira. – Ora, por favor! É impossível que você não enxergue.

Certa vez, Kevin e eu estávamos andando juntos pela rua com meu cão-guia. A calçada estava cheia de pessoas e uma mulher vindo da direção oposta não desviou, tropeçou em mim e caiu. Nós a ajudamos a se levantar. Furiosa, ela gritou para Kevin:

– Você é o acompanhante dele. Devia ser mais cuidadoso.

Kevin e eu reagimos quando percebemos que ela não estava falando do cachorro, mas sim com Kevin. Acompanhante? Se houve algum momento em que tive vontade de usar minha bengala branca como bastão de ninja, foi aquele. No entanto, Kevin e eu simplesmente demos risada até a raiva passar.

Nova-iorquino mal-humorado e teimoso, Kevin me ajudava muito a lidar com os taxistas da cidade. Muitos deles se sentiam desconfortáveis em levar cães dentro de seus carros e, se eu ficasse na sarjeta, eles passavam reto por mim. Não era fácil pegar um táxi. Então, Kevin ficava na sarjeta e chamava um enquanto eu ficava para trás, fora da vista. Quando o carro parava, eu andava para a frente com Roselle e me juntava a ele. Se o taxista se recusasse a me levar, Kevin lançava sua ameaça naquele tom típico de um nova-iorquino:

– Veja, este cachorro está em serviço. Se você não nos deixar entrar, vamos denunciá-lo para a Taxi License Commission. E eu tenho amigos na Homeland Security. Não mexa com a gente.

E de fato nós abrimos algumas queixas contra taxistas que se recusavam a nos transportar. É provável que Kevin e eu tenhamos dado algum dinheiro para a cidade com as multas geradas por essas queixas.

No 11 de Setembro, Kevin por acaso perdeu a hora porque, na noite anterior, tinha ficado até altas horas brincando com sua linda filha de um ano de idade. Ele acabou indo para o trabalho mais tarde e estava no trem PATH, na entrada do túnel sob o rio Hudson, quando o primeiro avião bateu contra nossa torre. O chão vibrou e o trem parou e, em seguida, voltou para Jersey City. Com os trens parados, ele ficou preso em Nova Jersey. Kevin assistiu à queda das torres sem saber se seus colegas da Quantum estavam vivos ou mortos. Eu estava esperando por ele naquela manhã, já que ele teria uma reunião às dez horas com o pessoal da Cantor Fitzgerald no 102º andar da Torre Norte. Ele não tinha chegado quando nós saímos, e só muito mais tarde eu vim a descobrir o que tinha acontecido com ele.

Quando David, Roselle e eu chegamos ao centro de compras embaixo do World Trade Center, começamos a correr. Mais água. Nós ainda não sabemos exatamente o que está acontecendo, mas, a julgar pela comoção no saguão, parece bastante claro que precisamos sair e correr para longe. As lojas estão desertas e o tráfego de pessoas segue em uma única direção: para cima e para fora. Subimos pela escada-rolante até o lado de fora.

Pela primeira vez desde que o caos começou, estamos debaixo do sol de Nova York. Então, paramos para respirar um pouco de ar puro. Parece que toda uma vida se passou desde que ouvimos a explosão. Eu verifico meu relógio. Quase uma hora já se passou... quase uma hora exata.

David olha em volta e, então, lança um olhar para cima.

– Tem um incêndio na Torre Sul, bem lá em cima – ele relata.

Como assim? A explosão aconteceu na Torre Norte. O que está acontecendo?

Aquilo nos deixou confusos. O que está acontecendo? *Talvez o fogo tenha se alastrado pela outra torre quando nosso prédio se inclinou.* É impossível pensar em qualquer outra explicação. A escadaria tinha sido como uma câmara de isolamento que nos bloqueava das notícias do mundo exterior.

No entanto, estamos prestes a descobrir o que está acontecendo fora do prédio.

capítulo 9

Correndo com Roselle

"Ter fé é dar o primeiro passo, mesmo quando você não consegue ver toda a escada."
MARTIN LUTHER KING JR.

Ondas de pessoas se aproximam. Primeiro, os paramédicos. – Obrigado, mas nós estamos bem. Nenhum de nós está ferido.

Em seguida, vêm os jornalistas pedindo comentários, mas nós ainda estamos assustados, então continuamos andando. As pessoas invadem as ruas, indo para todas as direções.

Paramos por um momento na esquina sudoeste da Broadway com a Ann, a pouco mais de 150 metros da Torre 2, a Torre Sul. David puxa sua câmera para tirar uma fotografia da fumaça cinza e preta que sai da torre enquanto eu tento ligar para Karen do meu celular e avisá-la de que estamos seguros. Tudo que ouço, todavia, é uma mensagem dizendo que "todas as linhas estão ocupadas". Mais tarde, descobriríamos que a sobrecarga no sistema de telefonia celular tinha ocorrido porque muitas das pessoas presas nos andares superiores estavam telefonando para se despedir de seus entes queridos.

Nós ainda não sabemos o que causou a explosão e o fogo. E não vamos descobrir até bem mais tarde, quando a chama nas torres é intensa a ponto de atingir temperaturas próximas de 1 000 °C e gerar um calor equivalente a algo entre três a cinco usinas nucleares.[1] Ignifugação, sistemas de aspersão e fornecimento de água para mangueiras estão funcionando, mas o fogo é tão forte que os extintores não devem ajudar muito. O impacto do avião entre o 78º e o 84º andar destruiu as colunas exteriores e pode também ter danificado colunas interiores e a base do prédio. Os andares próximos ao impacto sofreram danos severos. No entanto, o fogo é o principal problema, já que aquece as estruturas, fazendo com que alcancem um ponto crítico. O alumínio fundido do avião está descendo pela lateral do prédio oposta ao impacto inicial.

São 9h59. Faz pouco mais de uma hora que deixamos nosso escritório. David guarda sua câmera e eu começo a guardar meu celular, sem conseguir falar com Karen, quando um policial grita:

– Saiam daqui! Vai cair!

A Torre Sul emite um estrondo profundo que se torna um rugido ensurdecedor. Ouço vidros quebrando e metal se partindo, tudo isso acompanhado de um coro de gritos estridentes e aterrorizados. Eu nunca vou me esquecer daquele som pelo resto da minha vida. Era algo como a mistura de um trem de carga com uma cachoeira de vidros estilhaçados.

Um andar no canto sudoeste dá início à avalanche quando entra parcialmente em colapso, junto com as colunas do lado leste, curvando-se na direção do chão, no sentido de sul para norte. Então, o topo do prédio vira-se para leste e sul, vindo abaixo e trazendo consigo os demais andares em um efeito dominó. A Torre Sul cai em menos de dez segundos, criando uma cachoeira cacofônica de vidro, aço e pessoas.

O impacto cria uma vibração que corre por meus pés e sobe por minhas pernas. A rua parece um trampolim chacoalhando. Um golpe de medo me atinge e minha garganta congela. Não consigo sequer gritar.

David, todavia, grita.

---

1 Nancy Lee, Lonnie Schlein e Mitchell Levitas (eds.). *A Nation Challenged: A Visual History of 9/11 and Its Aftermath*. NovaYork: Callaway, 2002. 116.

– Ah, meu Deus! – E, logo em seguida, ele começa a correr. Em uma fração de segundos, giro 180 graus, levanto o corpo de Roselle e a faço girar também. Logo nós também estamos correndo. Correndo numa tentativa de salvar nossas vidas. Agora ninguém está mais ajudando ninguém.

Exceto Roselle e eu. Nós ainda estamos lá um pelo outro.

Pedras, metais e cacos de vidro caem à nossa volta. Pequenos objetos sólidos batem em minha cabeça e em meu rosto.

Pela segunda vez hoje, acho que vou morrer. Sem sequer conseguir dar adeus a Karen.

De fato, muitas pessoas morreram nas ruas em volta das torres, esmagadas por destroços do prédio, em meio aos escombros ou atingidas pela onda de choque. Houve relatos de testemunhas oculares que viram vigas de aço de oito toneladas caindo umas sobre as outras. Carros eram lançados para o ar junto com pedaços de concreto, canos de metal e estilhaços de vidro. Um dos relatos é de um bombeiro que sobreviveu enquanto uma viga de aço matou um colega bem ao seu lado.

Roselle e eu estamos fugindo do barulho. Eu não entendo porque tudo isso está acontecendo. Meu coração angustiado clama por Deus.

Como o Senhor pode nos tirar da torre só para fazer o prédio cair sobre nós?

Assim que eu grito essa pergunta em silêncio, Deus responde. Escuto sua voz dentro da minha cabeça e do meu coração. Ele fala diretamente comigo.

Não se preocupe com aquilo que você não pode controlar. Concentre-se em correr com Roselle e todo o resto vai se ajeitar sozinho.

Eu nunca tinha ouvido a voz de Deus tão perto e tão clara. Começo a andar imediatamente, e agora me sinto protegido. Minha mente e meu coração começam a se acalmar e eu passo a me concentrar em Roselle. A guia está firme em minha mão, e minha ligação com Roselle é clara.

Agora estou mais forte e mais confiante. Sei, sem qualquer sombra de dúvida, que Deus está me guiando enquanto eu guio Roselle.

O barulho se torna mais intenso. Há uma chuva de detritos pelas ruas. Chegamos a Fulton Street, a rua que cruzamos poucos momentos antes de tudo isso começar. Depois de virar à direita na Fulton, David e eu de alguma forma conseguimos nos encontrar, e então paramos por um instante, arfando por conta do medo e da adrenalina. Descobrimos que tínhamos por acaso corrido na mesma direção.

Então, vem a nuvem.

Uma nuvem monstruosa de poeira com quase cem metros de altura ruge em nossa direção, envolvendo-nos em um cobertor pesado e espesso de vapores e poeira de concreto pulverizado. A nuvem se movimenta rápido demais e nós não conseguimos nos livrar dela. Estamos sendo bombardeados por terra e pedras.

Meu corpo fica tenso, mas não há nada que eu possa fazer. A poeira invade minha garganta e meus pulmões. Eu estou sufocando, tentando respirar em meio a tudo aquilo. A poeira é tão espessa que posso senti-la descendo por minha garganta toda vez que inspiro. Sinto como se estivesse morrendo enquanto aquela poeira preenche meu corpo e parece me afogar até a morte.

De alguma forma, consigo continuar segurando a guia de Roselle e andando. Ela está bem ao meu lado, guiando-me perfeitamente. Roselle nunca para.

Cães-guia são criados e treinados especialmente para manterem a concentração. Logo que os cães são recebidos dos criadores e levados à escola da Guide Dogs for the Blind para serem treinados por um instrutor certificado, seus temperamentos são avaliados. Durante essa avaliação, os instrutores percebem as reações do cachorro a diferentes situações, como desentendimentos com outros cães e gatos, exposição a comida, barulho e outras circunstâncias que provavelmente gerariam ansiedade em um cão comum. Cinquenta por cento dos filhotes são dispensados. Os cachorros que conseguem manter a concentração e o foco continuam o treinamento. Eles têm potencial para se sair bem no curso de treinamento intensivo que se estenderá por meses.

Roselle passou no teste quando ainda era filhote, demonstrando a inteligência e a tenacidade de que eu preciso agora. Envolvida na nuvem, ela continua trabalhando e me guiando, muito embora seus olhos, seu nariz e sua boca também estejam cheios de poeira. O treinamento que Roselle recebeu para se tornar um cão-guia jamais poderia tê-la preparado para algo assim, mas ela é forte e não desiste. Aliás, em vez de desistir, ela usa todos os seus sentidos para cuidar de mim.

Independentemente do que vier a acontecer, independentemente se vamos viver ou morrer, estamos juntos nisso. E, se não sairmos vivos, espero que continuemos juntos, com minha mão na guia de Roselle. Eu nunca vou deixá-la.

Em momentos complicados, uma das minhas passagens preferidas da Bíblia é o "Salmo 22"[2]. Quanto mais velho fico, mais me dou conta de que a vida não é apenas feita de pastos verdes e águas tranquilas. Assim como no salmo, a vida inclui estradas quentes e empoeiradas, desertos, inimigos e, às vezes, fogo.

Salmo 22

O Senhor é meu pastor, nada me faltará.

Em verdes prados ele me faz repousar. Conduz-me junto às águas refrescantes,

restaura as forças de minha alma. Pelos caminhos retos ele me leva, por amor do seu nome.

Ainda que eu atravesse o vale escuro, nada temerei, pois estais comigo. Vosso bordão e vosso báculo são o meu amparo.

Preparais para mim a mesa à vista de meus inimigos. Derramais o perfume sobre minha cabeça, e transborda minha taça.

A vossa bondade e misericórdia hão de seguir-me por todos os dias de minha vida. E habitarei na casa do Senhor por longos dias.

---

2 N. E.: Segundo a numeração da Septuaginta (ou Versão dos Setenta): *Bíblia Sagrada* (edição claretiana revisada). São Paulo: Editora Ave-Maria, 2010.

Meu pai me ensinou a amar a Deus. Ele não passou muito tempo me ensinando apenas eletrônica, Matemática, escoteirismo e rádio amador; ele também discutia comigo questões maiores, como: Quem criou o Universo? Por que estamos aqui? Quem está no controle? Qual é o propósito da vida? Eu poderia levar qualquer pergunta ao meu pai e ele estaria disposto a conversar comigo sobre o assunto. De muitas formas, nossos espíritos eram semelhantes.

Meu pai fazia muitas leituras cristãs, e com frequência lia para mim. Quando eu estava na quarta série, voltei da escola certo dia e, ao chegar em casa, havia algumas caixas enormes esperando por mim. Dentro delas, havia uma Bíblia em braille, a versão do rei James, em dezoito grandes volumes. O livro tomava quase um metro e meio de espaço na prateleira e está longe em meu escritório.

Minha mãe era judia e suas ideias sobre religião costumavam envolver feriados judaicos, chalá e sopa de galinha com *kneidalech.* Ela nunca frequentou a sinagoga, mas ia conosco à igreja luterana St. Stephen, em Palmdale. Eu era um tenor no coral e nós íamos ao culto todos os domingos, embora eu às vezes achasse os sermões tediosos. Em vez de sentar e ouvir o que o pastor estava dizendo, eu gostava de explorar a Bíblia sozinho e de conversar sobre ela com meu pai. Nossas conversas eram bastante abrangentes, e envolviam discussões sobre os diferentes sistemas de fé e as diferentes formas por meio das quais as pessoas adoram a Deus. Para mim, todavia, a fé sempre está ligada a uma amizade com Deus.

– Não existe, no mundo, um tipo de vida mais doce e agradável do que aquela que inclui uma conversa contínua com Deus – disse irmão Lawrence.

Um leigo em um convento carmelita em Paris, irmão Lawrence escreveu *Praticando a presença de Deus*, um livro sobre como manter a cada instante uma consciência profunda da existência de nosso Pai, independentemente da situação.

No chão, em meio ao enorme desespero de uma torre caindo, não foi a primeira vez que eu orei no 11 de Setembro. Eu dei início às minhas orações lá em cima, logo depois da primeira explosão, ouvindo tudo o que Deus tinha a me dizer. Assim como ouvir é uma parte importante de se realizar boas vendas, também é parte importante de uma oração. É como eu tento viver minha vida, perguntando constantemente se eu estou fazendo a coisa certa, se é isso que eu devo fazer, se estou no caminho certo.

O "Salmo 22" começa procurando Deus em busca de orientação. Suas primeiras palavras são uma simples declaração de confiança em nosso Pai: "O Senhor é meu pastor". Aliás, todo o salmo expressa confiança - é uma promessa de se colocar nas mãos de um Deus vivo.

O autor do salmo, Davi, foi pastor durante a juventude, assim como meu pai, e por isso esse salmo é muito especial para mim. A imagem do pastor e da ovelha também me lembra da minha relação com meu cão-guia. Tudo começa com Roselle me aceitando como seu líder. Enquanto ela me ajuda de diversas formas importantes - por exemplo, mantendo-me longe de buracos e garantindo que eu não entrasse na frente de um ônibus elétrico em alta velocidade (que, por sinal, não faz muito barulho) - é meu o trabalho de planejar nossa rota e direcioná-la. Se ela não confiar em mim como seu pastor e não responder aos impulsos que eu aplico em sua guia ou em meus comandos verbais, nossa relação não vai funcionar.

Como Roselle e eu somos uma equipe, eu cuido dela. Eu lhe ofereço comida e água, em geral durante a noite para minimizar sua necessidade de se aliviar durante o dia - em especial durante os longos dias de viagem de trem ou no ar. Ela não está autorizada a comer quando estamos à mesa, seja em casa ou em restaurantes. Isso é uma tentação constante para ela, considerando que muitas pessoas querem alimentá-la e eu frequentemente preciso rejeitar pedaços suculentos de bife e de frango de garçons ou de donos de restaurantes que, no fundo, têm boas intenções.

O medo de tempestade de Roselle me lembra o dia em que meu pai me disse que ovelhas são medrosas, que temem tudo que é novo ou inesperado. As ovelhas não conseguem dormir e não comem se não se sentirem seguras. Elas também têm medo de água que se movimenta em alta velocidade, então o pastor deve encontrar campos quietos e confortáveis, pastos verdes e águas tranquilas para que as ovelhas possam repousar, comer e beber. Durante temporais, o porto seguro de Roselle é sob minha mesa no porão de casa, quando ela repousa a cabeça sobre meus pés. Quando a Torre Sul caiu e nos envolveu em poeira e em destroços, nós também precisávamos de um santuário.

Como Roselle confia em mim, e como nós já trabalhamos juntos o suficiente para nos tornarmos uma equipe e conhecer as habilidades um do outro, ela ouve a minha voz. Quando eu a corrijo, ela para e ouve, tentando entender o que eu quero que ela faça. O mesmo acontece com uma ovelha. Conforme o relacionamento se desenvolve, a ovelha aprende a seguir a voz do pastor "nas veredas da justiça". Então, quando os tempos difíceis chegam e a ovelha precisa passar por situações complicadas, Deus está lá, guiando.

Quando trabalhava como pastor, meu pai usava um cajado e uma vara para guiar e proteger as ovelhas. Eu, por outro lado, tenho minha bengala branca e a guia da minha cachorra. Deus usa formas mais sofisticadas e ainda mais misteriosas para guiar e proteger, mas, embora eu nem sempre entenda o trabalho do Senhor, sinto-me confortado e confiante sabendo que Ele está trabalhando em minha vida.

Quando o dia termina e eu tiro a guia de Roselle, ela pode descansar. Ela sabe que é parte da família e que tem sua própria cama, seus próprios brinquedos de cachorro, seus ossos de mastigar, sua própria comida e tigela de água. Quando o trabalho termina, ela pode brincar, comer e relaxar. Roselle é parte importante de nossa família, assim como eu sou parte importante da família de Deus e um convidado de honra à mesa do Senhor. Mesmo quando há inimigos à minha volta, posso comer e beber a bondade de Deus, sentindo-me seguro ao Seu lado. Eu sou especial para Ele.

Eu já tive muitos outros cachorros, mas só existe uma Roselle. E eu a conheço. Sei como é tocar em suas orelhas e em seu pescoço, conheço o cutucar de seu focinho na minha mão, o encostar de seu corpo forte na minha panturrilha. E conheço o som de seu latido feliz, de seu ronco preguiçoso e de seu resmungar tristonho. Roselle foi especialmente treinada e escolhida para mim pela Guide Dogs for the Blind, e ela é única. Não há nenhum outro cão-guia, ou qualquer outro cão, exatamente como ela.

E Deus me conhece. Ele me fez. Ele me estudou, me observou e me ama. Ele "unge minha cabeça com óleo". Nos banquetes no Oriente Médio, os anfitriões costumavam ungir seus convidados de honra passando óleo nos cabelos e na barba - algo revigorante e reconfortante. A unção também podia ser usada para distinguir alguém que fosse santificado ou sagrado, alguém com um propósito especial. Parte da diversão e do desafio de viver tem sido descobrir meu objetivo na Terra. Para que eu fui criado? Como posso usar o que aprendi e as experiências pelas quais passei para ajudar outras pessoas? Roselle sabe por que ela está aqui. Eu ainda estou vivendo e descobrindo meu propósito.

A bondade e a misericórdia de Deus me seguem todos os dias, assim como o pastor segue suas ovelhas. Ele segue cada um de nós até que cheguemos seguros em casa, como na história contada por Jesus de um dos pastores que deixou seu rebanho de 99 ovelhas para encontrar um animal perdido, regozijando quando o encontrou e o resgatou.

Ouvi uma história de um homem que visitava o Parque Nacional de Yellowstone com seu cão. Eles estavam caminhando em meio às fontes de água mineral, algumas das quais contêm água superaquecida (acima do ponto de ebulição) por energia geotérmica, atingindo temperaturas superiores a 1 000 °C. O homem soltou o cachorro, que rapidamente correu e pulou em uma das fontes. O cão ganiu e começou a lutar enquanto a água queimava sua pele. O dono hesitou por um instante, mas logo foi atrás do seu cachorro. Essa história não tem um final feliz: ambos faleceram. Mas o que ficou em minha mente foi o amor enorme que o homem sentia por seu cachorro e sua decisão de arriscar a própria vida nas águas ferventes.

Quando a torre caiu e eu clamei por Deus, Suas respostas me deram esperança. Quando Deus é por nós, quem será contra nós? Há esperança no futuro. Eu sou parte da família de Deus e "habitarei na casa do Senhor por longos dias".

Naquele dia, não contei para ninguém sobre meu encontro com Deus na sombra da torre. Não contei para ninguém no dia seguinte, nem mesmo na semana seguinte. Aquele foi um momento tão forte, tão íntimo e tão pessoal que eu não o compartilhei com ninguém nos três ou quatro anos seguintes. Eu queria poder descrevê-lo da forma certa, e não queria que meu relato fosse manipulador ou piegas. Não queria sair por aí mostrando meu milagre. Eu orei para saber o que fazer e, aos poucos, conforme o tempo passava, passei a me sentir mais confortável para falar sobre meu momento entre a vida e a morte, meu grito de desespero e a resposta de Deus. E isso lentamente se tornou uma parte pública da minha história. Algumas pessoas podem não acreditar ou julgar tratar-se de uma ilusão criada por minha mente e meu coração. Algumas pessoas podem até se enervar por acharem que Deus não respondeu às preces de outros. Mas ele respondeu à minha.

Mais tarde eu descobri que outras pessoas, além de Karen, estavam orando por mim naquele dia. Uma querida amiga nossa, a reverenda K. Cherie Jones, era pastora da Igreja Metodista Atascadero United, na costa central da Califórnia. Nós a conhecemos na época em que ela foi pastora em uma igreja de São Marcos, também na Califórnia, perto de onde nós vivíamos. Nós três nos tornamos amigos e começamos um relacionamento para a vida toda, e nos tornamos ainda mais próximos quando uma grande amiga de Cherie foi brutalmente assassinada por seu ex-marido. O corpo de sua amiga foi encontrado seis meses depois, e dois anos e meio se passaram até que o assassino fosse preso. Karen e eu mantivemos um contato próximo com Cherie durante esse tempo difícil, trocando inúmeros e-mails, telefonemas e orações enquanto ela sofria.

No 11 de Setembro, Cherie por acaso acordou às 6h15 da manhã (no horário da Costa Oeste) e ligou a TV, como de costume, para verificar as notícias e o tempo em sua região. Mas algo estranho estava acontecendo. Em vez de se deparar com os rostos familiares dos âncoras do jornal da manhã, Katie Couric e o pessoal do *Today Show* mostrava imagens assustadoras da cidade de Nova York em chamas. Meia hora tinha se passado desde a primeira explosão, e apenas quinze minutos desde a segunda. Cherie ficou confusa. "O *Today Show* não devia estar no ar?", ela pensou. Então, Cherie pensou em duas pessoas: em mim, enquanto se perguntava se eu ainda trabalhava no World Trade Center, e em um pároco que também era piloto da Delta Airlines e fazia regularmente uma rota entre as costas Oeste e Leste.

Cherie começou a orar por nós dois, pelas equipes de emergência e pelas outras pessoas nas torres. Ela telefonou para a mulher do piloto e descobriu que ele estava bem e em solo. Em seguida, tentou falar com Karen para saber se eu estava bem, mas não conseguia completar a ligação.

Então, ela colocou a mão na massa. Cherie começou a telefonar para seus guerreiros de oração para entrarem em contato com o pessoal da comunidade da igreja.

- Você fica com as páginas 1 e 2. Ligue para todo mundo e diga para eles orarem e então nos encontre às 9h na igreja - ela disse ao primeiro guerreiro.

E continuou telefonando, dividindo o trabalho de entrar em contato com toda a congregação, antes de ir à igreja. No fim, quarenta pessoas se uniram a ela, e todos começaram a orar por nós, pelas pessoas nas torres e no Pentágono, por aqueles que ainda estavam no ar, pela cidade e pela nação. Os Estados Unidos estavam sob ataque e ninguém sabia o que estaria por vir. Mas Deus certamente sabia, e ele estava ouvindo a todas aquelas preces das pessoas na Atascadero.

Quando Cherie começou a orar por nós, David, Roselle e eu estávamos nas escadas, mais ou menos na altura do 10º andar. Quando ela começou a telefonar para as pessoas, nós estávamos na rua, fugindo para longe das torres. Quando a Torre Sul entrou em colapso, ela assistiu àquelas imagens pela TV e começou a orar intensamente por mim, sem saber se eu estava ou não lá dentro. Talvez eu deva minha vida à minha esposa, minha família, meus amigos e a uma mulher de pijamas na Costa Oeste, que orava por mim enquanto Roselle e eu passávamos pelo vale da sombra da morte.

Às vezes andando, às vezes correndo, nós nos mantemos na calçada e seguimos no sentido oeste pela Fulton Street, procurando um refúgio. Eu mal consigo respirar, e ainda não consigo ouvir, mesmo enquanto tento fazer isso em busca de uma saída. Digo várias vezes para Roselle "Direita, direita", esperando que ela encontre uma passagem. Ela ouve e, por meio da guia, sei que ela está olhando para mim. Não sei se ela consegue enxergar em meio a tudo aquilo, mas estou confiante de que ela vai usar o focinho e as orelhas para abrir um caminho para nós.

Nós temos de sair daquela poeira, ou então vamos morrer. Mas, mesmo na nuvem de pó, com minha cão-guia também cega, eu sinto a presença de Deus. Ele está comigo. Eu não estou sozinho. Estou correndo com Roselle.

capítulo 10

Basicamente, nós somos muito parecidos com você

"Essa é a verdadeira alegria na vida – ser útil a um objetivo que você reconhece ser grande; estar completamente esgotado antes de ser descartado; ser uma força da natureza, e não uma criatura pequena e cheia de sofrimentos, reclamando que o mundo não trabalha para fazer você feliz."
George Bernard Shaw

Os destroços invadem as ruas. Aquele som horrível continua conforme partes da Torre Sul - concreto, aço e vidro - gemem e se batem até atingirem o chão.

Nós estamos correndo pela calçada quando Roselle e eu ouvimos um espaço aberto.

– Para a direita – eu grito.

Sinto um desejo enorme de estar dentro dc um prédio seguro que não vai cair ou explodir em chamas.

David segue com a gente. Logo depois que Roselle virou-se e seguiu pelo caminho aberto, ela para. Essa é a primeira vez durante todo o dia que ela para sem receber uma ordem minha. *O que ela está vendo? Roselle não pararia sem ter encontrado um bom motivo.*

Deslizo meu pé para fora e sinto o limite de um degrau, e então posso ouvir o eco de uma escada que desce até o subsolo. Roselle me fez parar no topo de um enorme lance de escadas. Todavia, eu não me sinto seguro. Quero seguir para mais longe daquela situação infernal por um espaço aberto, e não pelo subsolo. Preciso de um lugar seguro para respirar e me recompor. E Roselle também precisa. Ainda não sei onde nós estamos, mas confio nela e, por isso, vamos entrar.

Nós já descemos 1 463 degraus hoje. O que são mais alguns poucos?

– Em frente – digo a ela.

Nós nos apressamos para dentro, deixando para trás a morte e a destruição e o caos. Pelo menos por enquanto.

David esfrega a mão nos olhos e tenta ler a placa. ESTAÇÃO DE METRÔ FULTON STREET. Enquanto descemos as escadas, esfregamos nossas mãos em nossos olhos e narizes para limpar o máximo de poeira possível. Eu estou tossindo e bufando em uma tentativa de limpar meus pulmões.

Roselle está arfando. Em seguida, ela espirra algumas vezes. Eu me pergunto como ela está se sentindo. *Passar por algo assim deve ter deixado minha cachorra exausta.* No entanto, ela não demonstra cansaço. Seu ritmo é leve, firme e seguro. O barulho da torre caindo, junto com as sirenes dos veículos de emergência e das vozes frenéticas, deve ser alarmante para aqueles ouvidos caninos tão aguçados. No entanto, ela não transmite qualquer sinal de que aquilo a esteja incomodando.

Logo chegamos à base da escada e encontramos um espaço maior. É uma pequena galeria que leva até a estação de metrô. Ouço gritos.

– Não consigo enxergar! Meus olhos estão cheios de terra – lamenta uma mulher. – Não consigo enxergar. Não quero cair no metrô.

Peço a atenção de Roselle por meio da guia e então seguimos na direção da voz. Eu não sou nenhum super-herói, mas acho que posso ajudar.

Estendo minha mão direita e toco no braço da mulher.

Ela se acalma.

Eu gentilmente passo o braço dela por baixo do meu.

– Por favor, não se preocupe. – Mantenho minha voz baixa e controlada. – Eu sou cego e estou com minha cão-guia, chamada Roselle. Ela vai ajudar e evitar que a gente caia nas escadas do metrô. – Roselle fica quieta, esperando.

A mulher responde, agarrando-se ao meu braço. Dessa vez, o cego realmente está guiando a cega, mas por que isso deveria ser incomum? O trabalho em equipe também envolve salvar essa mulher.

Ouço alguém subir as escadas, vindo lá de baixo, na estação. Um homem. Ele diz se chamar Lou e trabalhar para o metrô.

– Sigam por aqui – diz Lou, com um tom de urgência na voz.

Outros refugiados vieram da rua, e agora nós somos oito. Lou guia o grupo pelas escadas e por um corredor e, então, por uma porta. Logo estamos no vestiário dos funcionários. O ambiente é silencioso, limpo e fresco. Um ventilador gira e faz o ar se movimentar. Há uma torneira na parede e nós nos alternamos para lavar nossas mãos, olhos e boca. Nunca em nossas vidas a água tinha sido tão deliciosa. Roselle se deita para descansar no chão frio.

Quando terminamos de usar a torneira, cada um se senta nos bancos do vestiário para descansar um pouco. Minha cabeça gira. Tanta coisa aconteceu em tão pouco tempo, e sinto que minha mente repassa os eventos e tenta entender a explosão, o fogo, o barulho de trem de carga e de cachoeira, e a nuvem de poeira. Porém, embora minha mente esteja acelerada, tentando juntar as peças daquele enorme quebra-cabeça de um jeito que faça sentido, meu coração permanece calmo e em paz. Revivo o som do colapso das torres e o som da minha oração desesperada. *A voz de Deus foi tão clara. E eu ainda sinto a mesma paz interior, muito embora eu tenha quase morrido.*

Sei que muitas vidas chegaram ao fim. Talvez centenas, talvez milhares de pessoas tenham morrido no incêndio, na queda dos prédios e em meio aos destroços. Eu poderia ter morrido facilmente se o prédio tivesse caído de outra forma, se tivéssemos tomado um caminho diferente ou se tivéssemos nos movimentado em um ritmo mais lento.

E se eu tivesse ficado lá mais tempo tentando desligar os computadores do escritório antes de nós sairmos? Talvez estivéssemos nas escadas até agora. Mas nós não estamos. Roselle e eu estamos salvos, por enquanto, no subsolo com um cara chamado Lou.

Deus poupou minha vida e falou comigo. Deve haver um motivo. Mas eu não tenho tempo para chegar a uma conclusão porque, naquele exato momento, um policial entra no vestiário. Ele também está coberto de terra.

– O ar está começando a limpar – ele diz. – É hora de sairmos. Tenho ordens para evacuar a estação.

Eu verifico meu relógio. Faz dez minutos que estamos na estação de metrô. Seguimos as ordens dele. Quem sabe o que mais vai acontecer? Estou ansioso para sair e me distanciar de toda essa área. Quero saber o que está acontecendo e tentar telefonar novamente para Karen. Ela deve estar desesperada.

Roselle instantaneamente se levanta comigo, pronta para trabalhar. Em grupo e em silêncio, seguimos o policial.

O que vamos encontrar lá fora?

Certa vez, Karen e eu estávamos visitando o irmão dela, que morava nas montanhas de Idaho. Era um belo dia e decidimos sair para dar uma volta. A filha de nove anos do irmão de Karen lançou uma pergunta surpreendente para mim:

– Como você consegue sair para dar uma volta?

É claro que ela não quis ofender, mas a pergunta daquela garota traduzia em palavras uma concepção errada bastante difundida: a de que, de alguma forma, cegueira é sinônimo de falta de habilidade ou até mesmo de incompetência. Muito embora ela tenha passado um tempo considerável comigo enquanto morávamos em Nova Jersey, a garotinha ainda não conseguia entender como uma pessoa cega conseguia andar com independência.

Se há uma mensagem sobre a cegueira que eu gostaria de passar para aqueles que enxergam, é esta: não há nenhum problema em ser cego. A cegueira não vai arruinar sua vida ou acabar com todas as suas alegrias. Não vai destruir sua criatividade ou diminuir sua inteligência. Não vai impedir que você viaje e tenha experiências em outros lugares. Não vai separá-lo de seus amigos e familiares. Não vai impedir que você se apaixone, case-se e constitua uma família. Não vai impedi-lo de ter um emprego e ganhar a vida. A cegueira não é o fim do mundo. E, com tecnologia e educação, a cegueira pode deixar de ser algo desgastante e se tornar apenas mais uma limitação humana. E existem muitas limitações humanas. A vida vai muito além do funcionamento dos olhos.

A definição legal de cegueira, de acordo com as leis norte-americanas, é acuidade visual de menos de 20/200 com correção ou um campo visual menor ou igual a 20 graus; há pessoas com tipos variados de visão. Algumas delas conseguem enxergar luz, mas não conseguem discernir objetos. Algumas têm uma visão distorcida, mas ainda conseguem andar por uma calçada, por exemplo, sem ajuda. Algumas pessoas não enxergam nada. Então, como se define "cegueira"? Para Kenneth Jernigan, um pioneiro dos direitos civis dos cegos e ex-presidente da National Federation of the Blind, a definição de cegueira é um pouco diferente da definição legal. "Uma pessoa é cega na medida em que precisa desenvolver técnicas alternativas para realizar com eficiência as atividades que realizaria se tivesse uma visão normal."[1] Portanto, as pessoas cegas ainda têm condições físicas, inteligência e habilidades totais. Elas só usam técnicas alternativas em sua jornada pela vida. E às vezes essas técnicas podem ser até mais elaboradas do que as técnicas usadas por pessoas que dependem da luz.

Laura Sloate é diretora-gerente de uma empresa de administração de investimentos em Wall Street. Ela é cega desde os seis anos. Em uma entrevista concedida ao *The New York Times*, ela falou sobre

---

1 Kenneth Jernigan. "A Definition of Blindness". In: *Future Reflections* 24, n. 2005. Disponível em: <http://www.nfb.org/Images/nfb/Publications/fr/fr19/fr05si03.htm>.

como lê constantemente em seu trabalho, dedicando horas a se manter atualizada com as notícias do *Wall Street Journal* e outras fontes de informação em seu ramo de atividade. Ela usa um sistema de leitor de tela no computador para ler a revista *The Economist* em um ritmo de trezentas palavras por minuto. Ao mesmo tempo, um assistente lê o *Financial Times* para ela, e Laura "dedica um ouvido para o jornal e o outro para a revista".[2]

Se você por acaso me telefonar, talvez eu aproveite o tempo enquanto estamos conversando para ler meus e-mails ou algum documento. Portanto, durante a nossa conversa, talvez você ouça uma voz masculina grave e digitalizada murmurando ao fundo. Quando você se acostuma, não é difícil acompanhar um leitor de tela em velocidade alta, e não é incomum que as pessoas cegas ouçam os leitores de tela a trezentas, quatrocentas ou até mesmo quinhentas palavras por minuto.

Cegueira não significa inferioridade. Quando Kenneth Jernigan assumiu a presidência da NFB, deu início a um movimento que se baseava na crença de que "uma pessoa cega pode competir de igual para igual em quase tudo com uma pessoa que enxerga."[3]

Atualmente, existem arquitetos, engenheiros, advogados, médicos, professores, cientistas, matemáticos, empresários, músicos e artistas cegos muito bem-sucedidos. Um veterano de guerra chamado Scott Miley, que perdeu a visão em uma enorme explosão na parte norte do Iraque, é o primeiro oficial cego em atividade no Exército. Ele também compete em triátlon, esqui e salta de aviões. Miley subiu o monte Rainier e surfou sozinho no Havaí.[4] Erik Weihenmayer é um alpinista e o primeiro homem cego da história a chegar ao topo do monte Everest. Ele também alcançou os Sete Cumes, subindo os picos mais altos de todos os continentes. David Blunkett é membro do

---

2 Rachel Aviv, "Listening to Braille", *New York Times*, 3 jan 2010.

3 Gene Raffensperger. "Kenneth Jernigan: Power to the Blind", *Des Moines Sunday Register*, 2 jun 1974. Disponível em: <http://www.braillerman.com/jernigan.htm>.

4 Tracy Smith. "A Blind Army Officer's Challenging Vision". *CBS Sunday Morning*, 5 set 2010. Disponível em: <http://www.cbsnews.com/stories/2010/09/05/sunday/main6837189.shtml>.

Parlamento Britânico. Cego de nascimento e criado por uma família muito pobre, ele foi secretário da Educação de Tony Blair e também secretário de Estado para os Assuntos Internos de 2001 a 2004. Um fotógrafo cego chamado Pete Eckert recentemente ganhou um importante prêmio de fotografia em Nova York. Seu trabalho venceu o de centenas de fotógrafos de catorze países.

– Eu não me prendo às suposições daqueles que enxergam ou dos limites que eles acreditam existir – ele declarou recentemente em uma entrevista. – A câmera é mais um meio disponível para mim, para produzir arte.[5]

Em uma conversa recente, pediram a Marc Maurer, atual presidente da NFB, que fizesse uma lista de profissões que ainda estão relativamente fora do alcance das pessoas cegas. Ele mencionou duas delas. Os esportes profissionais são bastante orientados pela visão e, embora as pessoas cegas participem deles o tempo todo, ser um jogador de futebol competitivo com a tecnologia disponível atualmente é algo "bastante improvável". A segunda área complicada para as pessoas cegas é qualquer emprego que requeira dirigir profissionalmente.

– Além dessas duas, não consegui identificar outras – comentou o doutor Maurer.

Embora jogar futebol profissionalmente possa estar fora dos limites pelos próximos anos, dirigir profissionalmente pode ser algo possível em um futuro próximo. Embora eu tenha dirigido algumas vezes em Palmdale, na Universidade da Califórnia em Irvine e no estacionamento da George's Burgers os passeios foram sempre curtos e somente tinham a diversão como propósito. Eu preciso de uma pessoa que enxergue para ser meu guia porque não existe tecnologia para que eu dirija segura e legalmente nas vias públicas. No entanto, isso está mudando, em especial por causa de algumas tecnologias que estão sendo desenvolvidas pelo doutor Dennis Hong, um professor de Engenharia

5 Catherine Mabe. "Blind Artist Wins New York City Photography Contest". *Disaboom* 9 set. 2010. Disponível em: <http://www.disaboom.com/blind-and-visual-impairment/blindartist-wins-new-york-city-photography-contest-exposure>.

Mecânica e diretor do Laboratório de Robóticas e Mecanismos na Virginia Tech. O projeto foi criado com o objetivo de permitir que pessoas cegas um dia venham a dirigir por meio de novas interfaces não visuais. Eu ainda não tive a oportunidade de experimentar, já que se trata de uma tecnologia que ainda está em desenvolvimento, mas ouvi dizer que envolve um volante especial usado para dirigir e se comunicar com o carro. Um protótipo da segunda geração está sendo desenvolvido, usando um Ford Escape híbrido com tecnologia de interface ainda melhor. Parece que não está muito longe o dia em que eu poderei levar Karen para dar uma volta em meu próprio carro!

A revolução da tecnologia, que começou com Ray Kurzweil e sua máquina leitora para os cegos, continua em curso. E a necessidade tecnológica na comunidade dos cegos incentiva inovações na comunidade dos negócios. O sucesso da máquina leitora também demonstrou que "encontrar alternativas para o problema da cegueira criando uma tecnologia útil para os cegos significa que frequentemente haverá o desenvolvimento de produtos adicionais, resultando em tecnologias que podem ser vendidas para todo o restante da sociedade", comenta o doutor Maurer. As necessidades das pessoas cegas estão levando a avanços tecnológicos que beneficiam todos os motoristas. Além das tecnologias de direção inteligente que, quando adotadas pelos grandes fabricantes de automóveis, vão tornar o ato de dirigir uma atividade mais segura para todos, as tecnologias voltadas para os cegos têm sido adotadas e desenvolvidas visando a muitos outros usos. Kurzweil desenvolveu a tecnologia do ditado que ultrapassou limites e foi acrescentada aos programas de computador Dragon NaturallySpeaking. E um novo leitor de e-book chamado Blio terá sido lançado quando este livro estiver nas mãos dos meus leitores. Blio é um software independente de plataforma que foi inicialmente desenvolvido para os cegos (mas que agora está disponível para todos) com o objetivo de permitir a leitura de livros e revistas em computadores, telefones ou outros aparelhos móveis. O software lê livros em voz alta, usando vozes bastante naturais e reais chamadas de "Samantha" e "Tom" e irá oferecer páginas em cores e tridimensionais para aqueles que enxergam.

Ajudando a criar esses avanços está a NFB, a mais antiga e maior organização para cegos, liderados por eles mesmo. Há 50 mil membros espalhados por todos os Estados Unidos e a maioria deles não são alpinistas ou líderes de pelotões do exército; são pessoas comuns.

– Nós, os cegos, somos muito parecidos com você [pessoa que enxerga] – disse o doutor Maurer. – Alguns de nós são gênios, outros são idiotas, mas a maioria está em algum ponto no meio, somos pessoas comuns vivendo vidas comuns.

A NFB trabalha duro para ajudar pessoas cegas comuns. Atualmente, existem cerca de 1,8 milhão de pessoas cegas nos Estados Unidos – "cego", neste caso, refere-se àquele que tem 10% ou menos de visão e que já não pode agir como uma pessoa que enxerga. No entanto, com seus 50 mil membros, a NFB está causando um impacto significativo na população cega com sua mensagem positiva, com forte senso de comunidade e a partir da educação, ferramentas e recursos oferecidos por cegos para cegos. A NFB é, de longe, a maior organização de pessoas cegas dos Estados Unidos e a mais forte representante dos cegos no país.

A NFB funciona como uma organização de vigilância. Por exemplo, recentemente apresentou ao governo queixas contra a Amazon, a gigante das vendas on-line, em uma tentativa de tornar o leitor de e-books Kindle acessível para leitores cegos. O Kindle de fato tem uma interface de leitura em tela primitiva, mas não há uma forma de as pessoas usarem os menus e operarem o leitor sem ser por meio visual. Quando o Kindle DX foi comercializado para as universidades, para que os alunos o usassem no lugar de livros impressos, doutor Maurer se lembra de ter pensado: "Espere aí! Vocês estão criando uma barreira para a leitura. Os cegos têm tanto direito de ler como qualquer outra pessoa. Ler é um direito fundamental – tem de ser! –, ou então você está criando dois grupos, um formado por literatos e outro formado por iliteratos."

A NFB também está trabalhando com o governo federal em uma tentativa de oferecer marcas em relevo nas notas, para que os cegos possam distinguir os valores (eu consigo perceber que nota estou pegando porque as dobro de formas diferentes – tenho uma forma diferente de dobrar para cada valor. De qualquer forma, uma pessoa sem escrúpulos poderia tentar me enganar ao me dar troco. Mas meu K-NFB Reader pode ler notas). A NFB também tem feito lobby para que os fabricantes de carros acrescentem som aos carros elétricos, que são quase silenciosos. Pense nisto: se você é cego e está andando por um estacionamento, um carro elétrico com um motor praticamente silencioso pode atropelá-lo se o motorista não o enxergar a tempo de parar. Esse esforço está gerando alguns resultados. Recentemente, a Nissan acrescentou um leve ruído ao motor do Nissan Leaf. A intensidade do ruído altera-se de acordo com a velocidade do carro, e produz um som ligeiramente agudo quando o carro está em marcha ré.

Outros fabricantes estão desenvolvendo trabalhos similares. O Congresso Americano aprovou um projeto que foi transformado em lei depois de assinado pelo presidente em 3 de janeiro de 2011. Por essa lei, o governo passa a ter de pesquisar métodos para que os veículos silenciosos ofereçam algum tipo de ruído para manter a segurança de todos os pedestres. Além disso, o governo deve criar regras que exijam que os fabricantes incorporem esses sinais audíveis em todos os carros silenciosos. Essa lei surgiu do pensamento e da participação ativa dos 50 mil membros da NFB.

Eu cresci em uma comunidade com pessoas que enxergavam, e minha integração se deu, em grande parte, por conta dos esforços dos meus pais. Durante grande parte da minha vida, eu não tive a oportunidade de conviver com pessoas cegas e sequer tinha ideia da existência de uma comunidade de cegos tão grande. Pensei que eu estava me saindo extremamente bem sozinho e com meu cachorro Squire. E, como eu me saía bem na escola, comecei a desenvolver uma atitude um pouco arrogante, especialmente com pessoas cegas que precisavam se esforçar mais para enfrentar desafios. Na verdade, eu nem sabia ainda como usar uma bengala e estava fechado em meu mundinho acadêmico, sem saber que havia outras pessoas cegas por aí que poderiam ter algo a me oferecer (e a quem eu também tinha algo a oferecer).

Tudo isso mudou quando eu me envolvi com a NFB. Descobri a organização quando ganhei uma bolsa de estudos no meu último ano do ensino médio e fui para a convenção estadual da NFB na Califórnia para receber o prêmio. Kenneth Jernigan falou no evento. Eu ouvi e passei a me abrir à possibilidade de que poderia aprender alguma coisa com aquele grupo de pessoas. Jernigan era um orador carismático e hipnotizante que tinha a qualidade mágica de ser capaz de energizar as pessoas e inspirá-las a se abrirem a novas formas de pensamento. Ele era destemido e muito brilhante. Sua palestra era carregada de argumentos interessantíssimos contra o *status quo* e trazia um vibrante apelo por mudanças (você pode ler uma de suas melhores falas mais adiante neste livro). Jernigan não queria nada mais do que uma revolução, um movimento de direitos civis para os cegos. Eu saí com a cabeça girando. A voz dele ecoava em meus ouvidos. "As atitudes erradas a respeito da cegueira é que são o verdadeiro problema. Essas atitudes podem ser mudadas e nós as estamos mudando."[6]

Mais tarde naquele ano, frequentei um curso preparatório de seis semanas realizado pelo California State Department of Rehabilitation e que era voltado aos cegos que estavam indo para o primeiro ano de faculdade. Aquele foi meu primeiro contato com uma comunidade de pessoas cegas e minha primeira vez usando uma bengala. Todavia, eu não queria parecer ignorante, então comprei uma bengala do Braille Institute alguns dias antes para que pudesse experimentá-la e praticar um pouco. Logo aprendi a usar o instrumento. Em uma noite, meu instrutor de mobilidade lançou um desafio: depois do jantar, nós veríamos quem conseguiria chegar ao dormitório primeiro, ele ou eu. Ele usava uma venda segura. *Valendo!*

O instrutor e eu voltamos um na cola do outro até chegarmos a um enorme estacionamento com várias entradas e saídas. Encontrei meu caminho muito rapidamente, apoiando-me nas habilidades de ecolocalização que eu tanto tinha lutado para conquistar. Meu pobre

---

6 Kenneth Jernigan, "Blindness. A Left-Handed Dissertation": Disponível em: <http://www.nfb.org/Images/nfb/Publications/convent/blndnesl.htm>.

instrutor se perdeu e ficou quase duas horas batendo a bengala para tentar se localizar. Como você deve imaginar, esse pequeno exercício não fez nada mal ao meu ego.

Na faculdade, eu estava ocupado com minha vida acadêmica e com meu programa de rádio. Porém, no último ano, um cara chamado Don Brown, presidente da divisão da NFB em Orange County, telefonou para mim e me convenceu a me juntar à organização. Alguns anos depois, fui nomeado para a presidência da seção. No entanto, comecei a me sentir um pouco estranho, e era como se as pessoas sentissem um leve confronto com a melhor presença. Telefonei para o líder da organização, Gary Mackenstadt. E ele me disse a verdade.

– Michael, você é arrogante. As pessoas aqui têm muito mais experiência do que você e depende de você querer conhecê-las. – Eu me senti como se tivesse trombado com um telefone público.

– Você não é o único cego do mundo. Há muitas outras pessoas cegas que trabalhavam juntas e compartilham experiências. As coisas não podem ser sempre como você quer. Você precisa chegar a um consenso com os outros.

Gary se importava o suficiente comigo para compartilhar a verdade, e aquilo era um balde de água fria extremamente necessário. Ele se tornou um mentor para mim e eu percebi que havia um mundo enorme no que dizia respeito à comunidade de cegos. No entanto, para fazer parte dela e me tornar um membro que contribuísse para o grupo, eu precisava me oferecer para fazer serviços, e não agir como um sabe-tudo que estava lá para dizer às pessoas o que fazer. Eu percebi que toda vez que um cego dá um passo adiante, toda a comunidade dá um passo adiante.

Depois do tão necessário ajuste da minha atitude, meu envolvimento com a NFB cresceu e, quando eu finalmente me encontrei trabalhando para eles no Kurzweil Reader, tive a oportunidade de conhecer os cabeças da organização. Eu me dei muito bem desde o primeiro momento com o doutor Maurer. Nós tínhamos muito em comum: ele também tinha ficado cego logo depois do nascimento por excesso de oxigênio, nós dois adorávamos ciências e tínhamos personalidade forte. Eu participei de vários protestos e de várias caminhadas na frente do Capitólio e interagi com líderes políticos nacionais. Sempre me diverti. Acho que esse é o vendedor que existe dentro de mim. Você tem de se divertir.

Em meus primeiros dias na NFB, passei algum tempo com Hazel tenBroek, esposa do fundador da organização, Jacobus "Chick" tenBroek. O doutor tenBroek fundou a NFB em 1940, em Berkeley, onde era professor e diretor do Speech Department. Depois que ele faleceu, fato que aconteceu prematuramente, tive a oportunidade de passar uma semana na casa da senhora tenBroek para ajudá-la com arquivamentos e algumas outras tarefas relacionadas ao seu emprego de editora da *The Braille Monitor.* Eu desfrutei de sua hospitalidade e absorvi a história e o legado daquele casal incrível que tinha liderado uma investida pelos direitos civis dos cegos. O doutor tenBroek tinha defendido reformas sociais com base na Constituição e ajudado a preparar o cenário para as proteções legais das quais os cegos desfrutam hoje em dia. Minha memória preferida do meu tempo em Berkeley com a senhora tenBroek foi descer a colina depois do jantar, a caminho de uma sorveteria chamada Bartz, para comprar uma lata de sorvete que tomaríamos no café da manhã do dia seguinte.

A NFB me fortaleceu, encorajou-me, equipou-me e me fez sentir capaz de viver e trabalhar com confiança e liberdade. Tive o privilégio de me tornar parte de uma comunidade de pessoas cegas que estão vivendo vidas plenas e felizes e que têm o privilégio de fazer parte de um movimento de direitos civis que garantirá aos nossos filhos e netos cegos o acesso à educação, à alfabetização, a empregos satisfatórios e a propósitos na vida.

O mundo é grande e eu me sinto empolgado por fazer parte disso e por servir às pessoas, cegas ou não, de todas as formas que posso. Ah, e não se esqueça de manter os olhos no retrovisor. Um dia, em um futuro próximo, pode ser que você veja um cego loiro, com olhos claros, em um carro esporte vermelho, tentando ultrapassá-lo.

Depois de sermos tirados de nosso refúgio na estação de metrô, subimos as escadas e passamos pela porta que dava para o lado de fora. Não há carros, mas ouço pessoas andando e correndo. Ninguém fala muito. As coisas ainda estão esfumaçadas, muito embora a maior parte da nuvem tenha se dispersado e a parte que ainda permanece está se assentando lentamente no asfalto, cobrindo os destroços com uma espessa camada de pó de concreto. A luz do sol me faz bem.

David fala. Sua voz está carregada de choque e medo.

– A Torre 2 não está mais lá – ele diz.

Tudo que ele vê é uma coluna de fumaça com centenas de metros de altura.

É algo impensável. Eu não consigo compreender aquilo, muito embora tenha sentido a vibração e ouvido o barulho do colapso.

Busco alguma outra explicação:

– Será que a fumaça está escondendo a torre?

– Não – responde David. Sua voz está apática e sem tom. – Mike, a torre não existe mais.

Ficamos ali, parados, por um momento, David e eu. Seguramos as mãos. A Torre 2 morreu, mas nós estamos vivos. Dois homens e uma cachorra.

Damos meia-volta e seguimos rumo a oeste pela Fulton Street, cada vez mais longe do que era o World Trade Center. É hora de ir para casa.

capítulo 11

Mulher de rodas

"O amor faz a alma rastejar para fora de seu esconderijo."
ZORA NEALE HURSTON

São 8h47 da manhã e eu estou assistindo ao *Good Morning America* enquanto começo a me vestir. Como de costume, Mike acordou cedo e saiu para o trabalho há várias horas. Eu o ouvi sair, mas aquela tinha sido uma noite difícil, considerando que Roselle tivera um ataque de pânico. E, de qualquer forma, eu não funciono bem de manhã, então voltei a dormir depois que ele saiu.

Por algum motivo, o rosto do âncora Charlie Gibson fica pálido. Meu telefone toca.

Com os olhos na TV, estendo a mão para alcançar telefone e ouço a voz de Mike:

– Karen, aconteceu algum tipo de explosão aqui. Nós estamos bem, e estamos deixando o prédio agora.

Mike mantinha a voz calma, mas eu percebi uma leve alteração. Depois de dezoito anos de casamento, sei quando ele está preocupado. Também reconheço quando está tentando permanecer calmo.

– O que aconteceu? – Respiro profundamente e espero que ele responda. Ao mesmo tempo, pego o controle remoto da TV no criado-mudo.

– David, Roselle e eu estamos juntos. Nós vamos seguir pelas escadas. – Volto minha atenção para a TV. Não preciso mudar de canal para ver se as Torres Gêmeas estão nos noticiários. Elas aparecem imediatamente na tela. Nuvens de fumaça saem de uma delas.

– Telefono para você assim que eu puder, mas preciso ir. – Ouço barulhos no fundo. Pessoas falando, vozes apressadas.

– Está bem, Mike. Tome cuidado! – Quero falar mais, mas ele já desligou. Não há muito mais a ser dito.

Eu assisto. Não consigo acreditar no que meus olhos veem. Parece que dez ou quinze andares estão tomados por um incêndio terrível. *O que aconteceu? Como o fogo se alastrou tão rapidamente?*

Os repórteres na televisão parecem confusos e um pouco perdidos. Ninguém sabe ao certo o que está acontecendo. Então, o impensável se torna realidade. De repente, um avião, movendo-se rapidamente, lança-se contra a outra torre. A enorme aeronave atinge a lateral da construção antes de desaparecer, como se a torre a tivesse engolido. Uma bola de fogo gigante, alaranjada e dourada, explode de dentro para fora da torre. Os destroços, que mais parecem palitos de fósforo prateados, caem pelas laterais, e sei que são pedaços de aço.

Não consigo acreditar no que estou vendo. Parece que estou assistindo a um daqueles filmes de desastres melodramáticos. Entretanto, dessa vez a situação é real, e Mike está lá dentro.

Não demora muito para que os noticiários comecem a exibir filmagens da explosão na torre de Mike. A torre onde estava meu marido também fora atingida por um avião enorme. Ninguém sabe o que está de fato acontecendo, mas as imagens me deixam extremamente assustada. As torres estão soltando fumaça e as duas nuvens se entrelaçam, formando uma terceira nuvem, mais negra e maior, que envolve o topo dos dois prédios. A fumaça se retorce em alta velocidade, e a brisa a empurra para o lado, onde ela se expande e volta a se tornar cinza.

Toda vez que eles mostram os prédios, eu penso: *Mike e Roselle estão lá dentro.*

Meu coração bate acelerado e eu sinto medo. Começo a orar. *Por favor, cuide de Mike e dos outros naquelas torres. Senhor, mantenha-os seguros e ajude-os a sair de lá. Ajude Mike a chegar bem em casa.*

Ouço um barulho na lateral da minha cama. Um par de olhos suaves emoldurados por duas orelhas macias e douradas surge ali. É Linnie, a cão-guia aposentada de Mike. Ela percebe que eu estou preocupada. Não consigo falar, mas acaricio a cabeça de Linnie. Então, eu me lembro: *Mike não está sozinho. Ele está com Roselle.*

Eu me sinto um pouquinho melhor. O telefone toca novamente. *Talvez seja ele!* Apenas vinte minutos se passaram. Sei que ele ainda não saiu. Ninguém desceria 78 andares tão rápido, a não ser que tomasse o elevador expresso. Todavia, Mike sabe dos perigos e, por conta do fogo, acredito que ele seguirá pelas escadas. Talvez ele esteja nas escadas, telefonando-me do celular.

– Alô? – Apoio o telefone entre a orelha e o ombro, esperando com todas as minhas forças ouvir a voz de Mike outra vez. É uma amiga chamada Mairead. Ela já estava no trabalho hoje de manhã, mas foi mandada para casa, assim como a maioria dos trabalhadores na área metropolitana de Nova York. Ela quer saber se Michael está trabalhando na cidade hoje. Eu respondo:

– Sim, ele está lá.

Então o telefone toca outra vez. E mais uma vez. Conforme ficam sabendo do que está acontecendo em Nova York, pessoas de todo o país e de todo o mundo ligam suas TVs e assistem ao World Trade Center queimar. E agora nossos amigos e familiares começam a telefonar. Todos querem saber se Mike está bem. E eu não tenho uma resposta para dar a eles.

O tempo está passando rapidamente e eu estou preocupada porque preciso falar com meus pais no sul da Califórnia antes de eles receberem algum telefonema de seus amigos. Digito o número deles. Minha mãe atende com uma voz sonolenta, e então eu digo que ela e meu pai precisam acordar porque algo terrível está acontecendo. Em seguida, conto a ela sobre os ataques.

– Ligue a TV e eu prometo que telefono assim que tiver notícias de Mike.

Os jornalistas estão todos ocupados agora, já que os eventos acontecem de forma acelerada. O presidente George W. Bush, em uma viagem a Sarasota, na Flórida, faz uma declaração afirmando que o país sofreu o que "aparentemente se trata de um ataque terrorista". Nenhum avião nos Estados Unidos pode decolar. Uma aeronave colide com o Pentágono. A Casa Branca é evacuada.

Eu me levanto, termino de me vestir, e levo Linnie para fora, mas sinto que sequer tenho tempo de respirar. Fico na cozinha, atendendo aos telefonemas, e sempre dando a mesma resposta insatisfatória. E o telefone não para de tocar. Nosso amigo mais próximo aqui em Nova Jersey é Tom Painter, meu colega dos tempos de colégio e do grupo de jovens da igreja. Ele me telefona para dizer que está jogando algumas roupas em uma mochila e indo para minha casa. *Graças a Deus.* Eu adoro o Tom. Ele é uma dessas pessoas para quem você pode telefonar às três da manhã se precisar. Para qualquer coisa. *A ajuda está a caminho.*

A TV está ligada e eu continuo atendendo aos telefonemas. Nem sequer me atrevo a ir ao banheiro, pois não quero perder uma possível ligação de Mike. *Eu me pergunto se o fogo atingiu as escadas...*

Há caos ao redor das torres. As ruas e as calçadas estão cheias de pessoas correndo e andando em todas as direções. Todos estão com os rostos pálidos e cansados. Há partes da aeronave pelo chão e papéis por todos os lugares, lançados para fora dos prédios pelas explosões.

A coluna de fumaça parece ainda maior e mais escura do que antes. E, sem emitir qualquer sinal de aviso, ela se torna cinza e começa a expandir para as laterais. Aquilo tudo quase parece uma explosão nuclear. A nuvem se torna cada vez maior e os pedaços de metal caem do prédio. E então tudo cai, os andares entram em colapso. Em apenas dez segundos, uma das torres desce envolta por uma enorme nuvem cinza. Eu fico congelada; meus olhos, fixos na tela. *O que aconteceu?*

Os jornalistas na TV também estão assustados, e tentam encontrar palavras para descrever o que estão vendo. Alguém finalmente anuncia que a Torre Sul caiu.

Continuo fazendo minhas orações e atendendo ao telefone. Embora eu soubesse que o escritório de Mike fica na Torre Norte, ver a outra torre se desintegrar me deixa ainda mais preocupada. Quando Mike passou seis meses sem um cão-guia, as pessoas no centro da cidade em Nova York não costumavam colaborar muito com ele. Como elas vão agir quando todos estiverem correndo em pânico?

Roselle e eu caminhamos pelas ruas de Manhattan como se estivéssemos em um pesadelo. Quero me distanciar o máximo possível das ruínas do World Trade Center. Quero conversar com minha esposa. Quero ir para casa.

Embora a Torre Sul tenha caído, a nossa continua de pé. A Torre Norte está em chamas, mas continua firme. *Eu me pergunto se está tudo bem com nosso escritório. Quando eu vou poder voltar para o conjunto 7827?*

Conforme sigo andando, esfrego as mãos em minhas roupas e em meus cabelos, embora eu saiba que será impossível me livrar de toda a poeira. David me diz que tem sangue em meu rosto, fruto de algumas lascas de concreto que atingiram minha orelha. De repente, percebo que estou coberto por partes do World Trade Center, pulverizado em forma de poeira fina. E essa poeira não apenas cobre meu corpo, mas também o caminho por onde estou andando. Ainda não consigo me convencer.

Estamos andando há aproximadamente dez minutos quando acontece outra vez. Ouço aquele mesmo barulho, uma mistura de cachoeira de vidro com trem de carga. A vibração é profunda. O estrondo se espalha pelo chão e passa por meus sapatos, atingindo minhas pernas. Puxo suavemente a guia de Roselle para trás e nós paramos. Ela está calma e quieta e se encosta à minha perna.

O barulho se torna um rugido, embora não seja tão alto quanto antes. Não sinto o mesmo terror dessa vez porque já estamos um pouco distantes das torres. Mas sinto meu coração partir. Nossa torre está caindo no chão.

Durante alguns momentos, ouvimos os sons. O vidro se estilhaçando, o aço caindo, o concreto se desfazendo. *É o som de um prédio morrendo.* Eu não sinto o mesmo golpe de adrenalina de antes. Acho que estou cansado demais. Acima de tudo, sinto angústia. *O que aconteceu com os bombeiros que passaram por nós? E com as pessoas acima dos andares onde ocorreu o choque? Ainda tinha pessoas nas escadas, segurando os mesmos corrimãos e contando andares? E quanto às equipes de emergência no saguão, que estavam ali apontando a direção da saída para as pessoas?*

Uma imagem do meu escritório tomou conta de minha mente. Não uma imagem visual como uma fotografia, mas uma imagem tridimensional do escritório, com seus móveis, acessórios e equipamentos ocupando um leiaute preciso. Sei a localização de todos os lápis, de cada folha de papel, de cada tomada e interruptor, e de todos os aparelhos existentes no escritório. Penso no porta-retratos com a foto de Karen (que meus visitantes podiam ver) e no refúgio seguro de Roselle debaixo da minha mesa. Meus dedos chegam a se mexer quando penso na minha máquina de escrever braille do colégio, a primeira tecnologia que me permitiu me comunicar usando papel. Ao longo dos anos, ela me acompanhou em todos os escritórios, tomando um espaço especial em minhas mesas. *Será que ela ainda está inteira?* No momento, é mais fácil pensar em equipamentos de comunicação, como minha máquina de escrever braille, do que em pessoas de carne e osso ainda presas no meio daquela catástrofe.

O barulho começa a cessar, e outra nuvem de poeira se aproxima. Graças a Deus dessa vez ela não passa por nós.

– Mike – David me chama. – Não existe mais World Trade Center.

Nós ficamos ali, nós três, sem saber o que dizer ou fazer. Estou quase destruído. Sou um sobrevivente, mas não sinto alegria. Estou letárgico.

Então, penso em Karen. Não converso com ela desde o momento em que telefonei do escritório, logo depois da primeira explosão. Ela está esperando notícias minhas.

Puxo meu celular e digito 1, o número que me coloca em contato com ela. De alguma forma, a ligação é completada. O telefone toca uma vez, duas vezes. E ela então atende.

Mais telefonemas. As pessoas querem saber se Mike está bem.

– Eu não sei – digo a elas. – Estou esperando por notícias dele.

Eu me sinto sem ar.

A cada minuto, a cada segundo, oro por Mike e por Roselle. Eu conheço meu marido, e sei que ele é engenhoso e capaz. Sabe como agir em emergências. Pensa no problema como um todo e leva o tempo apropriado para decidir o melhor curso de ação. Mas isso tudo está tão fora de controle e é algo para que ninguém está preparado. Não consigo evitar pensar na reação de Roselle ao furacão desta manhã. *Como ela o está guiando? Será que está com medo do barulho e da fumaça?*

Estou em casa apenas na companhia de Linnie e dos gatos. Não consigo e nem posso ficar longe da TV ou do telefone. De repente, lembro que o pessoal da limpeza deveria vir hoje. *Será que eu devo cancelar?* Eu costumo recolher as coisas antes de eles chegarem, para que possam fazer uma limpeza melhor. A casa está extremamente bagunçada. Minha mente começa a viajar, pensando no que o resto do dia irá me trazer. Se Mike chegar em casa bem, as pessoas virão visitá-lo. Se ele morrer, receberemos ainda mais pessoas, então é melhor eu me preparar para elas. Acho que pensar em limpar a casa para os convidados me distrai por um breve instante. Isso me ajuda a focar e me dá algo com que me preocupar para que não pense demais no que poderia estar acontecendo a Mike.

Então, a outra torre entra em colapso, exatamente como a primeira, formando uma enorme nuvem cinza de poeira e escombros. E o telefone toca novamente.

– Alô? – Eu atendo. Minha voz está rouca e apática.

– Karen... – Meu coração pula. – Sou eu, Mike.

Então ele diz as melhores palavras que eu já ouvi na vida:

– Eu estou bem.

Eu me entrego às lágrimas. Há dias em que Mike me deixa louca, mas há outros em que percebo que fomos feitos um para o outro. Sei o que é viver com uma limitação. Minhas pernas não se movem desde que eu nasci. Pouco antes de me dar à luz, minha mãe ficou muito doente por causa de uma infecção no rim. Eu fui liberada do hospital antes dela, e acho que quase a perdemos. Os médicos nunca tiveram certeza se os danos em minha medula espinhal surgiram por conta da infecção no rim ou se ocorreram por conta de eu estar em uma posição errada na hora do parto. Nem meus pais, nem os pais de Mike viveram na era dos processos e, embora pudessem ter razão, naquela época as pessoas simplesmente não processavam médicos ou hospitais.

Eu sou a filha mais velha, e meus pais queriam outra garota e um garoto depois de mim. Meu pai queria ser médico, mas a guerra o desviou de seus planos. Ele serviu como médico no exército e, quando voltou, foi estudar Psicologia e fez licenciatura. Durante a guerra, minha mãe e suas irmãs dirigiam ônibus escolares. E não apenas dirigiam os veículos, mas também os traziam para casa todas as noites e realizavam a manutenção.

Eu era muito boa aluna e fui colocada no grupo dos melhores. Frequentei a Universidade da Califórnia em Riverside e queria me tornar bibliotecária. E trabalhei na biblioteca da minha escola durante o ensino médio.

Eu também participava das convenções do Conselho para Crianças Excepcionais com meu pai, e podia passar algum tempo com pesquisadores de talento. Eles desafiavam meu objetivo de trabalhar como bibliotecária, e eu me lembro de, em uma ocasião, enquanto tomávamos vinho, um deles ter dito:

– Você quer trabalhar com pessoas ou com coisas?

Com pessoas, é claro. Quando procurei faculdades para estudar, havia três grandes escolas de Biblioteconomia na Costa Oeste: Universidade da Califórnia em Berkeley, University of Southern California e a Universidade do Havaí. No entanto, todas as três eram fisicamente desafiadoras para alguém que usa cadeira de rodas.

Escolhi a University of Southern California, mas não pela escola de Biblioteconomia. Em vez disso, ganhei uma bolsa de doutorado na Escola de Educação e fiz mestrado na área de retardamento mental. Realizei meus estudos de licenciatura durante o último ano, mas novamente encontrei oportunidades limitadas por conta da falta de acessibilidade para alguém numa cadeira de rodas. Então me formei na USC e dei início à minha carreira como professora em uma escola de ensino fundamental com alunos diagnosticados com limitações de aprendizado. Dois anos mais tarde, tive a oportunidade de ser líder de equipe em um programa em uma escola nova em Irvine, na Califórnia. Naquela época, o estado estava replanejando a educação e propagando a inclusão de todos os alunos com necessidades especiais. Todas as crianças foram integradas, e os serviços foram levados até elas em vez de elas serem retiradas das salas de aula e realocados em programas especiais. Muitos professores se mostraram contrários à nova filosofia, mas eu achei tudo aquilo divertido e desafiador. Minha sala tinha uma minicozinha. Muitos dos professores mais jovens iam até ela, onde tomávamos xícaras de chá e refletíamos para encontrar formas de lidar com crianças que apresentavam comportamentos inesperados. Depois de aproximadamente cinco anos, fui para outra escola e me tornei uma professora regular, lecionando para 3ª e 4ª séries.

Em 1980, levei um grupo de pessoas para Oberammergau, para assistirem à encenação da Paixão de Cristo, e então me apaixonei pela indústria do turismo. Acabei abrindo minha própria empresa voltada à acessibilidade para possibilitar que pessoas com deficiências físicas consideráveis pudessem viajar com segurança e conforto.

Mike e eu nos conhecemos no início dos anos 1980, em um jantar com amigos em comum. Tínhamos pouco mais de trinta anos na época. Mike trabalhava para a Kurzweil e eu viajava constantemente. Em 1982, eu já trabalhava como agente de viagem em tempo integral, depois de ter deixado para trás as salas de aula. Comecei cuidando dos preparativos para as viagens de Mike. Passamos dois meses sem nos ver novamente por conta de conflitos de agenda, mas Mike era implacável. Ele me telefonava todos os dias.

Gostávamos de ir ao cinema juntos, e realmente gostávamos de conversar. Eu me sentia bem e confortável quando estava com ele, era como se eu não precisasse entretê-lo. Ele parecia simplesmente gostar de estar e de conversar comigo. Nós simplesmente dávamos certo. Certo dia, ele apareceu queimando de febre. Mike tinha acabado de retornar de uma convenção em Minneapolis, onde tinha contraído a doença do legionário. Eu o levei para a casa dos meus pais, e ele ficou no sofá por duas semanas. Meu pai cuidou dele, já que eu precisava trabalhar.

Mike nunca realmente me pediu em casamento. Certo dia, estávamos passando de carro perto do meu apartamento em Santa Ana, e o assunto "casamento" surgiu enquanto estávamos parados em um semáforo. Quando a luz verde se acendeu, decidimos nos casar. Alguns dias depois, Mike apareceu na agência de viagens. Eu estava ocupada, falando ao telefone com um cliente, mas ele não pareceu se importar. Ele agarrou minha mão e deslizou um anel de diamante em meu dedo.

– Acho que terei que falar com você mais tarde – eu disse ao meu cliente.

Nós nos casamos na Igreja Metodista Unida de Irvine em 27 de novembro de 1982. Mike vestiu um smoking branco. Eu usei um vestido longo com gola alta e um chapéu, ambos brancos. A igreja estava decorada com cores leves e rosas salmão. O casamento estava agendado para às 16h e nós esperávamos aproximadamente 230 pessoas. Porém, a hora chegou e metade da igreja estava vazia. Exatamente às 16h12, as portas se abriram e a igreja se encheu rapidamente. Horas depois, descobrimos que os convidados que misteriosamente não tinham chegado estavam em seus carros, ouvindo o jogo de futebol da USC. Meu pai também se formou na USC, então todos éramos fãs leais e ficamos felizes por eles terem vencido no dia do nosso casamento.

Meu pai me conduziu pelo corredor da igreja. Eu estava na cadeira de rodas e Mike esperava por mim lá na frente com seu cão-guia, Holland. Dois pastores realizaram nossa cerimônia, já que nós não queríamos escolher apenas um deles, e então fizemos os votos.

Depois que fomos declarados marido e mulher, Mike me levou de volta pelo corredor e fomos ver o pôr do sol. Fomos para a bela cidade de San Juan Capistrano para a festa de casamento em nosso restaurante mexicano favorito. Depois do jantar, Mike e eu dançamos *Could I Have This Dance (for the Rest of My Life)?*, de Anne Murray. Mike dizia repetidas e repetidas vezes para quem quisesse ouvir:

– Ela não é linda?

Eu não acho que tenha sido tão amada por alguém quanto por Mike.

E espero que ele saiba que eu o amo tanto quanto. Ou mais!

Não sou um homem que chora facilmente. Posso contar em uma mão as situações em que me lembro de ter chorado. Porém, um soluço se prendeu em minha garganta.

– Alô? – A voz dela é rápida e aguda. Mais aguda do que o normal. E aquele era o melhor som que já ouvi na vida.

– Karen, sou eu. Eu estou bem. Consegui sair. Roselle e eu conseguimos sair da torre.

Ouço Karen chorar ao telefone. São 10h32 da manhã, e já faz quase duas horas desde que telefonei para ela do escritório, logo depois da explosão. Então, ficamos em silêncio, sem dizer mais nada.

Sabe aquela história de que dois se tornam um depois do casamento? É verdade. Assim como Roselle e eu somos parceiros próximos, numa relação simbiótica que transcende a relação normal entre cachorro e dono, Karen e eu também nos apoiamos um no outro. Nós dois temos feridas. Nossos corpos não funcionam como os corpos da maioria das pessoas. Enquanto eu sou cego desde o nascimento, Karen é paralítica desde o nascimento. Ela não consegue andar e se move com a ajuda de uma cadeira de rodas. Ela é meus olhos e eu sou os pés dela. Nós precisamos um do outro. Como a maioria dos rapazes, eu não gosto de pedir ajuda, e ter crescido cego intensificou minha inclinação natural à independência. Sempre fui acostumado a descobrir as coisas sozinho, a fazer minha lição de casa e encontrar formas de me adaptar ou até mesmo de me superar. Mas eu preciso de Karen. Ela é bonita por dentro e por fora. Seu bom senso me mantém com os pés no chão. Sua sagacidade me torna sagaz. Sua criatividade e sabedoria trazem luz à minha vida. Ela adora cachorros. E dirige para me levar aos lugares. O que mais um cara pode querer?

Como nós dois conseguimos viver em um mundo onde nossas necessidades frequentemente não são atendidas, somos almas gêmeas, duas metades de uma mesma alma. E hoje quase fomos separados.

Antes de desligar, Karen me diz o que está realmente acontecendo. Há terroristas – ninguém sabe quantos – realizando ataques coordenados nos Estados Unidos. Até agora, quatro aviões estão envolvidos, mas talvez haja mais. O primeiro foi lançado contra a Torre Norte. Quinze minutos depois, outro avião atingiu a Torre Sul. Um terceiro atacou o Pentágono. Um quarto ainda está desaparecido. Todos os aviões no espaço aéreo do país receberam ordens para pousar e o presidente está escondido. Ninguém sabe o que está acontecendo ou o que está por vir. Nova York está um caos, e o país está paralisado. Enquanto isso, o mundo está assistindo.

Eu respiro todo o ar que posso. É difícil aceitar. Ficamos quietos por um momento. Então, digo a Karen que a amo e desligo o telefone. Eu quero sair daqui. David, Roselle e eu continuamos marchando em direção ao Norte, unindo-nos às multidões que tentam escapar de

Manhattan de carro, de bicicleta e a pé. Em certo momento, cruzamos a Broadway e decidimos descansar em um banco em uma pequena praça de Chinatown chamada Chatham Square, perto de Canal Street. Sentamos perto de uma estátua de Lin Zexu, um herói chinês que lutou contra o comércio de ópio no século XIX.

Puxo um rádio portátil para fora da mochila e começo a buscar estações AM. Todas elas relatam o que está acontecendo no World Trade Center. O prefeito está falando, pedindo para que todos permaneçam calmos. Ele dá alguns detalhes, a maioria Karen já me contou. Em seguida, responde a perguntas dos jornalistas. Nós ouvimos o rádio por aproximadamente dez minutos, enquanto Roselle permanece dormindo aos meus pés. Então, o prefeito nos dá ordens diretas. Todos devem permanecer a norte de Canal Street. Nosso descanso acabou. Mais uma vez, levantamo-nos e seguimos para o Norte.

David se lembra de uma amiga que vive em Manhattan, uma mulher chamada Nina Resnick. Ele telefona e conta tudo o que passamos e pergunta se podemos ficar por um tempo em seu apartamento. Ela concorda sem hesitar e diz que nos encontrará lá em algumas horas.

Seguimos andando mais um pouco e, ao meio-dia, encontramos um pequeno restaurante vietnamita aberto. Eu peço sopa. O calor daquele prato é relaxante, e meus músculos começam a relaxar enquanto Roselle dorme mais uma vez sobre meus pés. David está impressionado demais para conseguir comer, mas aqueles *noodles* provavelmente foram a melhor coisa que eu já comi até agora. Enquanto estou sentado à mesa, sinto-me como um brinquedo de corda que começa a se tornar mais lento. De repente, ouço aviões voando do lado de fora. Todos congelam. *O que está acontecendo?*

Então, alguém que está lá fora grita:

– É a Força Aérea! São jatos fazendo patrulha! – Todo o restaurante aplaude. Pela primeira vez em horas eu me sinto seguro.

capítulo 12

Uma escova e um ossinho

"Minha única preocupação era chegar em casa depois de um pesado dia de trabalho."
ROSA PARKS

Conseguimos uma carona até o apartamento de Nina, no centro da cidade, com algumas pessoas em uma van. Elas não falam inglês muito bem, mas ao nos verem sabem pelo que passamos e estão dispostas a ajudar.

Chegamos ao prédio de Nina e apertamos a campainha algumas vezes, mas ela não atende. Sujos e exaustos, nós nos sentamos no lobby e esperamos. Roselle se esparrama entre meus pés e imediatamente começa a roncar. Eu queria poder acompanhá-la. Agora são aproximadamente 13h15.

Trinta minutos mais tarde, Nina chega carregando várias sacolas que trazia da mercearia. Ela tinha saído para comprar comida. As lojas estavam cheias de pessoas em pânico, comprando tudo que podiam. Roselle se levanta e balança o rabo, feliz por conhecer alguém novo. Seguimos até o apartamento e nos sentamos. Nina liga o rádio para nós e, em seguida, vai até a cozinha guardar as compras. Durante as próximas horas, nós comemos, assistimos à televisão, ouvimos as notícias e conversamos. Assim como o resto do país, tentamos compreender uma coisa que de forma alguma é compreensível.

Depois de algum tempo, David tira o laptop de sua pasta e começa a escrever sobre o que passamos hoje. Eu deixei meu notebook no World Trade Center. Ele agora é parte do que os jornalistas estão chamando de "escombros".

Quero ir para casa, mas a parte baixa de Manhattan ainda está sendo evacuada e o prefeito dá ordens para que todos permaneçam em suas casas. Nada está funcionando, nem mesmo trens e ônibus. Muitos aeroportos foram fechados e voos vindos de outros países estão sendo desviados para o Canadá. As fronteiras foram fechadas.

O presidente George W. Bush anuncia que as Forças Armadas dos Estados Unidos ao redor do mundo estão em "elevado estado de alerta" e que todas as precauções de segurança necessárias estão sendo tomadas: "Não se enganem. Os Estados Unidos vão perseguir e punir os responsáveis por esses atos de covardia."[1] O Pentágono anuncia que navios de guerra e aviões militares estão tomando posições estratégicas nos arredores de Nova York e de Washington, DC.

Enquanto ouço as notícias, fica claro para mim que milhares de pessoas perderam suas vidas. Em um dia de trabalho comum, aproximadamente 35 mil pessoas estariam nas torres do World Trade Center às 9h da manhã. As estimativas do número de mortos flutuam fortemente, mas mais tarde descobriremos que, no 11 de Setembro, cada torre abrigava de 5 a 7 mil pessoas.[2] Tal número talvez se deva ao fato de o atentado ter ocorrido logo no início do horário comercial. Além disso também era dia de eleição e primeiro dia de aula no sistema público de ensino. Nós não saberemos o número exato de vítimas durante semanas, mas as autoridades finalmente

---

1 "One Nation: America Remembers September 11, 2001.

2 Nancy Lee, Lonnie Schlein e Mitchell Levitas (eds.). *A Nation Challenged: A Visual History of 9/11 and Its Aftermath*. Nova York: New York Times/Callaway, 2002.

virão a divulgar que 8 825 pessoas morreram nos ataques ao World Trade Center.[3]

Pela graça de Deus, minha cão-guia e eu não fazemos parte desse número.

Um alerta de mensagem de voz toca em meu celular. Karen telefonou e deixou uma mensagem dizendo que um amigo nosso conseguiu chegar em casa, em Nova Jersey, com um trem saindo de Manhattan. Depois de um pouco de debate com David e Nina, eu decido tentar ir para casa. Os planos de David são ir para a casa de um amigo no Upper East Side. Se eu de alguma forma conseguir chegar à Penn Station, e os trens estiverem funcionando, posso tomar um deles para Nova Jersey. Se tudo isso for possível, estou seguro de que Roselle e eu chegaremos em casa. Isso não será nada comparado ao que já enfrentamos hoje.

Depois de agradecer a Nina por nos ter concedido um abrigo seguro, damos início à nossa jornada até nossas casas. David, Roselle e eu andamos alguns quarteirões e então temos uma boa notícia: os ônibus estão circulando, e gratuitamente. Subimos em um ônibus na esquina das ruas 33th e 6th e descemos a apenas um quarteirão de Penn Station.

São 5h30 da tarde quando David e eu nos despedimos. O adeus é rápido, mas carregado de emoção. Nós enfrentamos o inferno juntos. Poucas horas antes, tínhamos começado um dia rotineiro no escritório. E aquele dia tinha se tornado qualquer coisa, menos rotineiro.

David tinha sido um ótimo amigo hoje, e espero que eu também tenha sido um bom amigo para ele. Penso nas pessoas que encontramos ao longo do dia – tanto na torre quanto fora dela. Quando nossos caminhos se cruzavam, eu tentava ajudá-las sempre que possível, independentemente de quem fossem.

As experiências de hoje, por mais atormentadoras que possam ter sido, são também uma oportunidade, uma chance de aprender e de crescer. Eu ainda não sei quais são as lições, mas sei que elas existem.

---

3 Nancy Lee, Lonnie Schlein e Mitchell Levitas (eds.). *A Nation Challenged: A Visual History of 9/11 and Its Aftermath*. Nova York: New York Times/Callaway, 2002.

Assim que David e eu nos despedimos, viro meu rosto na direção de casa. Roselle e eu precisamos descansar.

– Em frente – digo para minha querida Roselle.

A estação está cheia, agitada com as pessoas que fogem de Manhattan em busca de lugares mais seguros. Seguimos para o andar inferior e embarcamos em um trem para Newark. O trem está cheio. As pessoas percebem a poeira ainda caindo dos vincos e dobras das minhas roupas e dos pelos de Roselle. Elas sabem que nós escapamos do World Trade Center. E querem saber tudo.

– Você estava em uma das torres?

– Você ouviu quando o avião bateu?

– Quanto tempo você demorou para sair de lá?

Falar é difícil.

Roselle e eu chegamos a Newark, Nova Jersey, e entramos no trem para Westfield. Eu telefono para Karen para avisá-la de que estamos perto. Ela estava pronta para ir nos buscar com a van em Newark se o trem para Westfield não estivesse funcionando.

Às sete da noite chegamos a Westfield. Descemos do trem e meus ouvidos reconhecem o som inconfundível da nossa van estacionando. Nosso querido amigo Tom Painter está dirigindo e Karen está no banco de trás. As portas se abrem e eu e Roselle entramos. Nosso reencontro é cheio de alegria. Nós conseguimos chegar vivos.

Alguns minutos mais tarde, chegamos em casa e somos recebidos com empolgação por Linnie, minha cão-guia aposentada. Ela abana o rabo e todo o seu corpo se sacode de alegria. Então, ela nos fareja da cabeça aos pés.

Cuido de Roselle antes de mais nada. Tiro sua guia e tento escová-la bastante para remover o máximo possível da poeira do World Trade Center, mas dessa vez ela se recusa a ficar parada. Roselle corre como se estivesse à procura de algo, e volta alguns minutos depois com seu querido ossinho de corda trançada com um nó em cada ponta. Roselle se pavoneia pela sala com o osso na boca e Linnie a segue, esperando para brincar de cabo de guerra.

Eu penso nos eventos daquele dia. Penso na explosão inicial e na inclinação da torre, na descida pelas escadas, no medo absurdo que senti quando a torre caiu, no caminho em meio à nuvem de poeira, na descoberta da estação de metrô, na longa caminhada por Manhattan e no caminho até nossa casa. Foi um longo dia. E, embora eu esteja cansadíssimo, Roselle parece já ter se recuperado. E ela ainda nem foi ao quintal.

Mais tarde, debaixo do chuveiro, eu relaxo enquanto a água quente leva embora a poeira e o suor. *Eu estou vivo. Roselle e eu conseguimos escapar.*

Karen encomenda porco *mu shu*, frango general Tso e rolinho primavera no meu restaurante chinês favorito. Quando a comida chega, Karen, Tom e eu nos unimos em uma refeição silenciosa. A TV murmura ao fundo enquanto a mídia repassa o dia, mas nós estamos concentrados uns nos outros. Houve vários momentos durante o dia em que pensei que não voltaria a ver Karen. Mas aqui estamos nós, seguros e juntos. E grande parte do mérito disso acontecer é de Roselle.

Meu corpo começa a formigar por causa da fadiga, e sigo para o quarto no andar de cima. Roselle toma seu lugar no chão ao lado da cama. Ela dorme tranquila. A tempestade chega ao fim.

Depois do 11 de Setembro, tudo mudou. Milhares de pessoas morreram. Por algum motivo, Roselle e eu sobrevivemos.

Quando acordei na manhã seguinte, minhas emoções estavam anestesiadas, mas meu corpo não. Eu mal conseguia me movimentar. Todos os músculos doíam, e estavam tão enrijecidos que precisei de dez minutos para conseguir sair da cama. Soltei Roselle e Linnie e elas começaram a andar pelo quarto, preparando-se para brincar de perseguir uma à outra. Eu gemia e murmurava enquanto colocava o roupão e o fechava. Tentei ficar em silêncio para não acordar Karen.

Até mesmo minhas mãos estavam inchadas. Atravessei o quarto e o corredor, e as cachorras me seguiam de perto. Cada passo era uma agonia. Minhas panturrilhas, minhas coxas e meu quadril protestavam. Pensei novamente naquelas longas escadas. *Por hoje, nada de descer 78 andares em ritmo acelerado. Aliás, isso seria impossível.*

Tomei o elevador de Karen até o andar de baixo para soltar as cachorras, e então segui mancando até a cozinha. Lá, fervi um pouco de água para preparar uma xícara de chá. Estava passando manteiga em um muffin inglês quando me dei conta. *Não há um escritório para onde ir.*

Eu parei, segurei a faca em cima do muffin e as memórias do dia anterior começaram a aflorar. As imagens passavam novamente em minha cabeça. Ouvi mais uma vez o barulho das torres caindo, os gritos amedrontados e os vidros se quebrando. Sacudi a cabeça, tentando afastar tudo aquilo. *Chega.*

Segurei a faca com mais força e voltei minha atenção ao muffin. Eu teria tempo mais tarde para pensar sobre tudo o que tinha acontecido. Por enquanto, eu só queria aproveitar meu café da manhã. E fiz isso. Estava delicioso. Aliás, acho que foi a melhor refeição da minha vida.

Karen e eu passamos o dia descansando, retornando telefonemas de amigos e familiares e consultando o meu médico e ao veterinário de Roselle. Dei início a um tratamento com antibióticos para evitar problemas respiratórios que pudessem surgir por eu ter inalado aquela poeira e aqueles gases produzidos pelo combustível do avião. Já havia relatos sobre toxinas na nuvem de poeira, incluindo amianto. O veterinário de Roselle disse que ela não precisaria de nenhum tratamento, apenas de descanso, e então poderia voltar à sua rotina.

Também telefonei para a Guide Dogs for the Blind, para avisá-los de que Roselle e eu estávamos bem. Perguntei a eles como cuidar dela. Queria saber se havia algo que eu precisasse fazer para ajudá-la a se recuperar depois de ter trabalhado em uma experiência tão catastrófica.

– Os cães vivem o momento – eles me lembraram, explicando que os labradores são tão adaptáveis que geralmente se livram de eventos traumáticos rapidamente, sem efeitos nocivos prolongados.

Enquanto Roselle brincava com Linnie, eu não percebi nela nenhuma angústia ou fadiga. Eu gostaria de poder dizer o mesmo a meu respeito.

Perceber aquilo me reconfortou. Se a mente e as emoções de Roselle se recuperassem tão rapidamente como seu corpo, ela estava bem. Não parecia haver espaço para medo ou timidez na mente dela. Roselle não agia, de forma alguma, como se estivesse chocada. Não acho que ela estivesse revivendo as imagens e os sons de ontem. Ela estava muito mais interessada em descobrir onde Linnie tinha escondido o osso de corda.

E-mail da Guide Dogs for the Blind

De: Betsy Irving
Enviado em: Quarta-feira, 12 de setembro de 2001, 12:22 p.m.
Para: Todos os funcionários da Guide Dogs for the Blind
Assunto: World Trade Center

Nós, do Departamento de Cuidados com Filhotes da Guide Dogs for the Blind, acreditamos que vocês gostariam de ser informados da história abaixo. Muito obrigada, mais uma vez, por criarem uma cão-guia tão impressionante!

Recebi um telefonema de Michael Hingson, dono de um dos nossos cães – Roselle, uma labradora amarela, classe #606. Ele estava na Torre Norte do World Trade Center ontem, no 78º andar, quando o primeiro avião se chocou com o prédio. Para a sorte deles, a aeronave atingiu o outro lado da torre. Michael e Roselle desceram 78 andares para saírem do prédio. Ele, junto com seus funcionários e várias outras pessoas, deparou-se com bombeiros que subiam. Pouco tempo depois de eles saírem do prédio, a Torre Sul entrou em colapso. Então tiveram de andar rapidamente pela rua para se livrarem dos escombros. Michael chegou em casa por volta das 19h, depois de passar a tarde na casa de uma amiga no centro de Manhattan, até os trens voltarem a circular. Ele disse que Roselle se comportou como um soldado exemplar durante toda a provação!

Aquela era uma manhã silenciosa. Quando Karen desceu, ela mencionou que, do lado de fora, conseguia ver a fumaça que se erguia na região do World Trade Center, a mais de 30 quilômetros de distância.

Nós passamos a maior parte do dia grudados na TV. Os repórteres cobriam a busca por sobreviventes em andamento e os esforços nacionais para assegurar e vigiar alvos terroristas, como aeroportos, usinas de energia, prédios do governo e pontes. Acompanhamos filmagens de bombeiros, policiais e funcionários da Port Authority em choque e sofrendo suas perdas. Milhares de nova-iorquinos colocavam fotos de seus entes queridos desaparecidos em áreas públicas de Manhattan, na esperança de que alguém, em algum lugar, pudesse ajudá-los a encontrá-los.

À tarde, recebi um telefonema que me surpreendeu. Joanne Ritter, da Guide Dogs for the Blind, estava interessada em contar meu caso para a mídia. Ritter queria saber se eu estaria disposto a ser entrevistado. Eu concordei, sem pensar muito naquilo. Então, Ritter lançou a seguinte pergunta:

– Se você pudesse conversar com qualquer apresentador de qualquer programa de TV, com quem gostaria de conversar?

Sem sequer hesitar, respondi:

– Larry King.

No dia seguinte, Joanne voltou a me ligar e disse que o pessoal da equipe de Larry entraria em contato comigo. Na noite de sexta-feira, Roselle e eu estávamos nos estúdios da CNN em Nova York, com Karen e Tom Painter. Eu estava mais do que impressionado. Segunda-feira tinha sido um dia de trabalho normal. Terça-feira tinha sido um verdadeiro inferno. Quarta e quinta eu estava exausto e em choque. E então era sexta-feira, e eu estava prestes a contar minha história para Larry King e seus milhões de telespectadores ao redor do mundo.

E-mail das pessoas que cuidaram de Roselle quando filhote

De: Kay e Ted Stern
Enviado em: Sexta-feira, 14 de setembro de 2001
Para: Michael Hingson
Assunto: Graças a Deus

Acabamos de ficar sabendo, por intermédio da Guide Dogs for the Blind, que você e Roselle estão a salvo e que tiveram que passar por um caminho excruciante para escapar do escritório no World Trade Center. Estamos muito orgulhosos de vocês dois por terem sido capazes de trabalhar juntos e de sobreviver a circunstâncias tão arriscadas. Enviamos um e-mail imediatamente após o ataque e, como não recebemos resposta, ficamos bastante preocupados. Nós nos sentimos aliviados por vocês dois estarem bem. Em meio a tanta tristeza, todos nós temos muitos motivos para agradecer. Estamos sentados aqui com nosso filhote de cão de trabalho de nove semanas. Estamos criando-o para a Canine Companions for Independence, e todos nós mandamos – para você, sua esposa e Roselle – abraços e beijos caninos.

Com carinho,
Kay e Ted

Se eu tivesse pensado bem, talvez não tivesse respondido tão prontamente à pergunta de Joanne na quarta-feira. No entanto, minha experiência com Larry King foi bastante positiva. Como sempre, ele foi atencioso e encorajador, envolvendo-me em uma conversa que destacou minha cegueira e o papel de Roselle enquanto escapávamos da torre. Todavia, eu logo me senti feliz por ter compartilhado minha experiência. A maior parte das notícias sobre a terça-feira daquela semana tinha sido triste e desanimadora. Se minha experiência servisse como um interlúdio em um dia cheio de melancolia e desespero, eu estava disposto a compartilhar. Nosso país precisava de esperança e de cura, assim como eu.

Nova York ficou fechada por alguns dias. Enquanto o resto do mundo observava os eventos que envolviam o 11 de Setembro por uma tela de TV, os ataques e suas consequências catastróficas aconteceram em nosso quintal do fundo. Todos conheciam uma ou mais pessoas que tinham morrido nas torres. As mortes prematuras causaram ondas de choque que se espalharam muito além de Manhattan e das casas e dormitórios à sua volta.

Então, os funerais começaram. Alguns nova-iorquinos iam a quatro ou cinco velórios por dia.

Seguir adiante não era sequer uma possibilidade remota nas semanas que se seguiram. Havia, por toda a parte, algo que nos forçava a lembrar do ocorrido. Um relato comovente veio de um repórter que notou a grande quantidade de carros estacionados em volta das estações de trem suburbano de Nova York. Durante as semanas que se seguiram, aqueles carros permaneceram ali, abandonados e acumulando poeira. Em muitos casos, seus donos jamais retornariam.

Durante os dias e as semanas que se seguiram aos ataques, meu corpo se curou. Voltei a dormir normalmente e retomei minhas atividades rotineiras. Mas, para meu coração e meu espírito, as coisas não eram mais como antes. Não havia mais "normal". Antes e acima de qualquer coisa, eu sentia o luto pelas vidas perdidas e pela tragédia de muitas pessoas nas equipes de resgate, pessoas que foram corajosas e ficaram nas torres fazendo seus trabalhos, mesmo enquanto tudo vinha chão abaixo. Eu pensava muito nos bombeiros que passaram por nós nas escadas, no homem que entregou os croissants de presunto e queijo naquela manhã e nas duas mulheres que desceram as escadas bastante queimadas. Eu me perguntava o que teria acontecido com as pessoas nos pisos acima do nosso na Torre Norte, as pessoas com quem eu pegava o elevador todos os dias sem saber seus nomes. Quem entre eles sobreviveu? E quem não conseguiu? É muito provável que eu jamais chegue a essas respostas.

Todavia, eu recebi algumas notícias boas. Fiquei mais tranquilo ao descobrir que todos os seis funcionários da Ingram Micro que tinham estado em nossos escritórios naquele dia conseguiram sair bem do prédio. E nenhum funcionário da Quantum faleceu.

Fiquei furioso com os homens que fizeram aquilo com a gente. Suas mentes perturbadas e seus motivos estão além da minha capacidade de compreensão. Eu quase cheguei a pensar que esse grupo de dezenove pessoas não era formado por humanos. Como pode um ser humano planejar e realizar um ataque desse tipo, que causa mortes e ferimentos graves em milhares de inocentes? Eu não conseguia entender. E ainda não consigo.

Amigos e familiares sempre me perguntavam se eu não tive a síndrome do sobrevivente. Não, eu não tive. Acho que pelo fato de não haver uma verdadeira resposta que justificasse o fato de Roselle e eu termos sobrevivido quando tantos outros não conseguiram deixar a área. Voltar a pensar no World Trade Center, mesmo que brevemente, trazia uma cadeia infinita de "e se". *E se o avião tivesse atingido o 78º andar de nosso prédio, como aconteceu com a Torre Sul? E se David e eu tivéssemos ficado mais tempo em nossos escritórios, trabalhando para desligar os servidores? E se eu tivesse esperado ajuda para evacuar? E se nós tentássemos pegar o carro de David no estacionamento do outro lado da rua onde ficava a Torre Sul? E se a Torre Sul tivesse caído em uma direção diferente? E se um pedaço de vidro ou de metal tivesse atingido um de nós?*

Minha mente explorava essas e muitas outras perguntas, mas não demorou muito para eu desistir. Eu não tenho as respostas. Não sei por que sobrevivi. Mas de uma coisa eu tenho certeza: se estou vivo, deve haver algum motivo. Eu concordo com Billy Graham, que falou durante o serviço de oração nacional na Washington National Cathedral, na sexta-feira após os ataques. Ele disse que talvez nunca saibamos por que o 11 de Setembro aconteceu, mas não precisamos saber – afinal, Deus é o soberano. Ele usa cada um de nós de formas diferentes, e eu escolhi acreditar que Ele me usou naquele dia. Eu sei que Ele usou Roselle. Nós dois interagimos com tantos outros – eu me lembro de alguns e me esqueci de outros. Não sei exatamente qual seria o resultado do nosso papel no 11 de Setembro. Talvez eu jamais saiba. Mas sei que tudo é uma questão de plantar sementes: sementes de perdão, de cura, de trabalho em equipe e de confiança.

Depois de conversar com Larry King, comecei a receber outros convites. Uma das maiores revistas semanais de notícias entrou em contato comigo e queria que eu realizasse uma entrevista em seus escritórios. Eles pediram que eu fosse com as roupas que usava no dia do ataque terrorista. Mas as roupas já tinham ido para a lavanderia. Além disso, toda a ideia parecia ridícula e sensacionalista. Então, eu decidi não conceder aquela entrevista.

Passei a contar minha história quando era convidado, e as pessoas pareciam demonstrar interesse no que eu tinha a dizer. Junto com convites de televisão, rádio e mídia impressa, passaram a surgir convites para falar pessoalmente com grupos. Num primeiro momento, eu hesitei, sem saber o que exatamente eu tinha a oferecer. Eu desci por um monte de degraus para sair da torre. *E daí?* Descer degraus não devia ser visto como um feito incrível ou heroico. No entanto, comecei a ver que podia ser interessante falar sobre algumas das lições que aprendi crescendo cego, que me ajudaram a sobreviver naquele dia. E as pessoas ouviam.

Dentro de poucos dias, voltei a trabalhar no meu emprego na Quantum – inicialmente em casa, depois nos escritórios alugados em Nova Jersey. No entanto, minha relação com a empresa logo se deteriorou. Como gerente de vendas, fui criticado pela queda nas vendas. De alguma forma, os poderosos da empresa não entendiam o que era trabalhar em Nova York agora. Muitos dos meus melhores clientes estavam ocupados com funerais, e não comprando sistemas de backup para computador. Como cidade e como região, nós estávamos nos esforçando para ficar de pé novamente e para encontrar um novo estado "normal". Isso levaria algum tempo. No entanto, ainda havia pressão para realizar vendas e parecia haver uma suspeita por parte da empresa de que nós não estávamos fazendo o nosso trabalho. Mesmo assim, eu superei as metas de vendas do terceiro e do quarto trimestres. Contudo, a corporação acreditava que as vendas na região do Meio-Atlântico estavam baixas demais e ela não estava satisfeita. Minhas entrevistas com a imprensa não ajudavam muito. Foram tempos bastante complicados para mim e para Karen. Nós dois tínhamos passado por uma experiência traumática que ainda tentávamos entender, e vivíamos e trabalhávamos em uma sociedade que sofria as sequelas do pior ataque terrorista já realizado em solo americano. A pressão que eu sentia era enorme. Eu sempre levei meu trabalho muito a sério, e sempre fui mais exigente comigo mesmo do que qualquer outra pessoa poderia ser. No entanto, agora era diferente. Minhas prioridades tinham mudado, e com os convites frequentes para dar entrevistas ou falar em público, eu começava a enxergar quais poderiam ser meus objetivos maiores.

Não muito tempo depois, recebi uma oferta de Bob Phillips, CEO da Guide Dogs for the Blind, para trabalhar como porta-voz da unidade de São Rafael, na Califórnia – o mesmo lugar onde, aos catorze anos, conheci Squire, meu primeiro cão-guia. Também era a mesma escola que tinha treinado Roselle. Nós levamos algum tempo até tomar nossa decisão. Sair da urbana Nova York para as colinas verdes e exuberantes de Marin Peninsula, do outro lado do país, seria uma mudança enorme. Aceitar a oferta também significaria deixar para trás meu salário de seis dígitos como gerente de vendas. Mas eu tinha mudado. Nós tínhamos mudado. O dinheiro, as demandas e as pressões do meu emprego já não pareciam tão importantes quanto antes. Então, Karen e eu decidimos aceitar a oferta. Era hora de voltar para a Califórnia.

Trabalhei para a Guide Dogs for the Blind durante maravilhosos seis anos e meio. Considerando tudo, desde o meu escritório na unidade de São Rafael (com meu cartaz "O cachorro é meu copiloto") até as pessoas incríveis com quem tive o privilégio de trabalhar, incluindo o treinador de Roselle, Todd Jurek, posso dizer que a Guide Dogs foi um dos pontos altos da minha vida. Fazer parte de uma organização que devolve às pessoas a confiança e a mobilidade por meio de uma relação com um cão-guia é uma forma bastante satisfatória de se ganhar a vida.

Os convites para entrevistas e discursos eram cada vez mais frequentes. Em um dado momento acabei saindo da Guide Dogs para cair na estrada em tempo integral, falando a milhares de pessoas todos os anos. Eu nunca vou me cansar de contar minha história para as pessoas, sempre com o objetivo de ajudá-las. E nunca vou me cansar de responder a perguntas. (Aqui está uma das minhas favoritas, vindas de um aluno do primário: "Como as pessoas cegas transam"? Minha resposta: "Como as pessoas que enxergam".

Roselle ia comigo para todos os lugares até se aposentar, em 2007 em uma cerimônia pública na Guide Dogs. Eles também aposentaram o nome dela (nenhum cachorro que passasse por aquela instituição receberia o nome Roselle). Com o passar dos anos, ela recebeu muitos prêmios por seu papel no 11 de Setembro: o Heroes of Hartz da Hartz Mountain Corporation, incluindo uma doação de 20 mil dólares para a Guide Dogs for the Blind; a medalha PDSA Dickin, um prêmio britânico mundialmente reconhecido como "a Cruz Victoria dos animais" e entregue àqueles que demonstraram coragem evidente e devoção às obrigações; o prêmio do American Kennel Club's por Excelência Canina a (ACE Award); e reconhecimento especial da Guide Dogs for the Blind por "demonstrar coragem exemplar, perseverança e parceria no aprendizado". Além de todos os prêmios, o nome de Roselle foi lido no *National Congressional Record* em reconhecimento ao seu trabalho.

Kay e Ted Stern (o casal que cuidou de Roselle quando filhote) e eu nos tornamos amigos. Eles a pegaram na Guide Dogs quando ela tinha apenas quatro meses e cuidaram dela por dez meses, enquanto lhe davam os treinamentos básicos. Como você pode imaginar, Kay e Ted se sentiram extremamente orgulhosos.

– Ela é uma garota bem firme – declarou Ted Stern em uma entrevista.

Uma das perguntas que me fazem com mais frequência é como Roselle foi capaz de ignorar o que estava acontecendo à nossa volta no World Trade Center e se concentrar em me guiar. Embora nossa ligação próxima e nosso trabalho em equipe tenham tido seu espaço, o treinador de Roselle, Todd Jurek, afirma que não há como preparar um cachorro para guiar em uma situação de vida ou morte, como a que Roselle enfrentou. Embora seja impossível negar que as suas habilidades sejam em parte fruto de uma combinação de boa criação com bom treinamento, "ela é uma cachorra muito especial", disse Jurek. "Grande parte dos cachorros em uma situação como aquela teriam ficado loucos, essa é a verdade. Ela é uma cachorra extremamente incrível e provou isso ao guiá-lo com calma pelas escadas, em meio a toda a comoção". As pessoas me perguntam:

– Como você treinou sua cachorra para fazer isso?

Eu simplesmente usei as diretrizes do treinamento que ela tinha recebido; todo o resto foi a vontade e o forte temperamento de Roselle. Ela era divertida, extrovertida e adorava brincar. Mas, acima de tudo, trabalhava bem e levava seu trabalho muito a sério.

Ainda enquanto me guiava, Roselle desenvolveu um problema sério de saúde chamado trombocitopenia imunomediada (IMT, na sigla em inglês), uma doença caracterizada pela destruição das plaquetas em consequência da presença de anticorpos antiplaquetários em seu sangue. Trata-se de uma doença do sistema imunológico, muito provavelmente relacionada à exposição às toxinas e demais substâncias existentes naquela enorme nuvem que nos envolveu quando as torres caíram. Nós a mantivemos medicada enquanto ela ainda conseguia guiar, mas os exames de sangue começaram a indicar alterações nos rins. Por isso, decidimos aposentá-la. Foi uma decisão muito difícil, mas nós sabíamos que a hora estava chegando. Guiar é estressante tanto fisiológica quanto psicologicamente, e nós queríamos que Roselle tivesse uma vida longa e saudável. Depois que ela se aposentou, seus rins voltaram ao normal, e continuamos lhe dando esteroides para estimular a produção de plaquetas e ciclosporina, uma droga imunossupressora.

Hoje em dia, Roselle é uma cidadã sênior. A IMT está estabilizada. Ela ainda é alegre e cheia de amor, continua com aquele brilho nos olhos. No entanto, suas articulações estão começando a enrijecer por conta da idade, e ela passa a maior parte do tempo dormindo à luz do sol que entra pela porta de correr no fundo da nossa casa. Ela sempre pula para cumprimentar os visitantes com um balançar de rabo, um abraço e beijo. E, se eu fosse você, não deixaria suas meias em nenhum lugar onde ela possa pegá-las.

capítulo 13

Sacudir a poeira

"A interdependência é e deve ser o grande ideal do homem para a autossuficiência."
MAHATMA GANDHI

Muitos dos momentos mais marcantes da minha vida envolveram aviões. O exemplo mais óbvio é o 767 que foi sequestrado e destruiu o prédio onde eu trabalhava. Mas houve outros, e esses acontecimentos com aviões sempre impulsionaram novas possibilidades.

Cresci sob as asas de jatos rugindo na Edwards Air Force Base, onde meu pai trabalhava. A base se estendia por Rosamond Lakebed, um local antigamente destinado a testes de bombas e armas, escolhido por sua área enorme e plana e pela falta de nuvens, o que cria as condições perfeitas para voo. No início dos anos 1940, os militares deram início aos voos-teste da primeira aeronave de guerra do país, a Bell XP-591 Airacomet. Mais tarde, o Bell X-1, impulsionado por foguetes, foi o primeiro de uma série de aviões experimentais projetados para testar os limites de voo e, em 14 de outubro de 1947, o destemido piloto de teste Chuck Yeager tornou-se, a bordo do X-1, o primeiro homem a quebrar a barreira do som. As áreas secas do deserto abrigavam o centro das pesquisas de aviação e voos avançados. O piloto de teste Scott Crossfield chamou esse parque de aeronaves de "uma Indianápolis sem regras".

Quando minha família se mudou para Palmdale, a aproximadamente uma hora da base, os pilotos testavam os aviões a mais de trinta quilômetros de altura, ultrapassando a velocidade do Mach 3, alcançando mais de 3 mil quilômetros por hora. Caças como o F-100 Super Sabre e o F-102 Delta Dagger rugiam e deixavam rastros de fumaça pelos céus. Ao mesmo tempo, eu estava andando de bicicleta pelas ruas de Palmdale, testando minha velocidade no chão, nas sombras das asas daqueles aviões. Sempre fui muito curioso acerca da ciência do voo e de como os engenheiros usavam as leis do Universo para lançar esses pilotos até mesmo ao espaço.

Não tive oportunidade de viajar de avião até meus catorze anos, quando fiz a viagem de volta da Guide Dogs for the Blind com Squire. De alguma forma, ele enfiou seu corpo dourado de cão de caça embaixo do assento à minha frente e dormiu tranquilamente durante uma hora com a cabeça sobre os meus pés. Quando o avião decolou, eu me lembro de ter pensado "*Agora posso fazer tudo que eu quiser*". Eu me senti livre e vivo. Ter um cão-guia pela primeira vez foi como quebrar a barreira do som, e eu sabia que a minha vida nunca mais seria a mesma.

Depois de terminar a faculdade, voei por todo o país a negócios, e os aviões se tornaram tão familiares para mim como os trens e os táxis. Eu adorava voar, até que um avião quase me matou. Eu tinha uma reserva no voo 191 da American Airlines de Chicago para Los Angeles, em 25 de maio de 1979, mas terminei meu trabalho um dia antes e troquei minha passagem para um voo anterior. No dia seguinte eu estava em um táxi em Los Angeles quando ouvi a notícia. O avião do voo 191 sofreu um acidente logo após a decolagem, matando 271 pessoas a bordo e mais duas em solo. O motor esquerdo do avião caiu e a aeronave virou antes de se tornar uma enorme bola de fogo em um espaço aberto a menos de dois quilômetros do aeroporto internacional

O'Hare de Chicago. Esse acidente é considerado um dos dez piores desastres aéreos da história. E eu estaria a bordo.

Depois disso, comecei a ver as coisas de uma forma diferente. Minha família se tornou algo muito mais precioso. Passei a levar a minha fé mais a sério e a refletir sobre o propósito da minha vida.

Pouco mais de um ano depois, fui convidado a me retirar de um avião. No início dos anos 1980, algumas companhias aéreas passaram a assediar passageiros cegos, forçando-os a viajar nos assentos da primeira fila, tomando suas bengalas brancas, guardando-as em compartimentos superiores e forçando-os a demonstrar sua capacidade de prender e desprender os cintos de segurança. Os cegos se sentiam desconfortáveis e, em alguns casos, foram convidados a se retirar do avião por não aceitarem essas cadeiras.

Em setembro de 1980, fui impedido de embarcar em um avião para São Francisco porque os assentos da primeira fileira já estavam ocupados. Esperei pelo próximo voo e tentei embarcar. Fui novamente obrigado a me sentar na primeira fila. E me recusei. Após algumas discussões com os comissários, o comandante e o supervisor da equipe em terra, fui retirado à força do avião. Dobraram meu braço esquerdo nas costas, feriram o meu polegar e quebraram meu relógio de pulso, que acabou caindo no chão. Foi humilhante.

Na maioria das vezes, prefiro apaziguar situações constrangedoras com humor, envolvendo as pessoas e tentando mantê-las positivamente integradas. Por exemplo, o pessoal da segurança do aeroporto muitas vezes não sabe o que fazer com cães-guia e causa atrasos desnecessários nos fazendo passar por procedimentos extra de segurança. Eu posso escolher. Posso ferver de raiva por causa da injustiça, mas, se eu seguir esse caminho, vou ficar ainda mais furioso. A verdade é que enfrento discriminação todos os dias. Entretanto, persistir na raiva não é nada produtivo e nada justo com as pessoas que não conhecem a realidade dos cegos. Então, escolho conversar. Quando a equipe de segurança nos coloca contra a parede, levo na esportiva:

– Vai lá brincar com a Roselle, ela ama brincar! Vai lá, pode brincar com ela!

Mas, aquele dia no avião, a minha técnica não funcionou. Eles me trataram como se eu fosse fraco e indefeso. E estava na hora de tomar uma atitude, assim como meus pais fizeram quando eu fui expulso do ônibus da escola.

A maioria das pessoas não tem ideia de como os cegos sobrevivem e levam a sua rotina em um mundo totalmente dependente da luz. Quando você é cego, tudo representa um risco. O mundo não foi adaptado para nós. Mas nós podemos e devemos lidar com isso. Usufruímos de soluções alternativas, tecnologia, criatividade, persistência e inteligência para superar todas as barreiras que surgem em nosso caminho.

Mais tarde, descobri que a companhia aérea que me expulsou não tinha nenhuma regulamentação de assentos para cegos e provavelmente não estava ciente de que, se o cego estiver acompanhado por um cão-guia, pode viajar em qualquer assento do avião. Fui convidado a falar sobre a minha experiência em um simpósio público com representantes da Federal Aviation Administration e da Delta Airlines.

Vinte anos depois, eu estava trabalhando no World Trade Center quando quatro aviões foram sequestrados e usados em ataques em 11 de setembro de 2001. Os Estados Unidos nunca mais foram o mesmo. Nem eu. Há dor e perda. Há também uma oportunidade para a mudança e a chance de superação. Mas, para isso, precisamos trabalhar juntos. Foi assim que os terroristas alcançaram sucesso, com dezenove pessoas atuando como uma unidade coesa e demonstrando trabalho em equipe no que dizia respeito a planejamento, coordenação e trabalho sigiloso para concluir o ataque fatal.

Para responder, temos de trabalhar juntos ou sofrermos por causa da nossa falta de união e compaixão pelo outro, sobretudo por aquele que pode parecer ou agir diferentemente de nós. Um sábio certa vez disse que todos nós temos deficiências, mas que a maioria delas é invisível.

Muitos me perguntam se eu acho que os cegos e pessoas com outros tipos de limitações estão em melhores condições hoje do que no passado. De certa forma, creio que sim. Por exemplo, o braille é produzido hoje mais facilmente e com menor custo. A tecnologia permite fácil acesso à informação. Hoje em dia, viajar é uma atividade muito mais independente, e as pessoas vivem com menos dificuldade.

Mas, por outro lado, as pessoas cegas estão mais integradas à sociedade do que cinquenta, vinte ou até mesmo dez anos atrás? Penso que não. Eu me sentirei verdadeiramente integrado à sociedade quando as pessoas se interessarem por algo que conquistei e não pelo fato de eu conseguir realizar tarefas rotineiras que podem parecer assustadoras apenas porque sou cego. Eu vou me sentir realmente um cidadão de primeira classe quando puder ir a restaurantes com meus amigos que enxergam e o garçom perguntar para mim qual é o meu pedido em vez de perguntar *para eles* o que eu quero. Vou reconhecer essa integração quando for a encontros e convenções em que todo o material distribuído para as pessoas que enxergam estiver automaticamente disponível em braille ou em qualquer outra forma acessível para mim.

Integração plena e verdadeira não é uma tarefa fácil. Começa com a vontade, continua com a educação e se fundamenta na confiança.

Naquele dia fatídico, eu confiei em Roselle. E ela confiou em mim. Nós sobrevivemos graças à confiança e ao trabalho em equipe.

Recentemente fui a Amsterdã para dar uma palestra em uma escola de cães-guia. Os organizadores do evento quiseram impressionar e reservaram para mim um assento na primeira classe. Quando embarquei, relaxei naquele confortável e aconchegante assento. Inclinei a cadeira e estendi minhas pernas. Minha nova cão-guia, Africa, estava deitada à frente do meu assento. No entanto, quando inclinei a poltrona, ela levantou a cabeça. Eu sabia o que ela queria. Bati no joelho e chamei:

– Africa, vem aqui!

Rápida como um raio, ela desdobrou aquelas patas longas e pulou em meu colo. 65 quilos! Acariciei sua cabeça. *Quanta sabedoria.*

A sabedoria do cão-guia

O que aprendi com Roselle no 11 de Setembro:

1. Há hora para trabalhar e hora para brincar. Saiba a diferença. Quando a guia é colocada, é hora de trabalhar. Trabalhe duro; outros dependem de você.
2. Concentre-se e use todos os seus sentidos. Aprenda a reconhecer a diferença entre uma tempestade inofensiva e uma verdadeira emergência. Não deixe que a sua visão o impeça de enxergar.
3. Há momentos em que o caminho se torna complicado, mas, se você trabalhar em conjunto, alguém aparecerá com uma garrafa de água exatamente quando você mais estiver precisando.
4. Sempre, mas sempre mesmo, agrade os bombeiros.
5. Durante o trabalho, ignore distrações. A vida vai além de correr atrás de um osso ou de uma bola de tênis.
6. Ouça atentamente àqueles que são mais sábios e experientes do que você. Eles irão ajudá-lo a encontrar o caminho.
7. Não pare até que a sua tarefa esteja finalizada. Às vezes, ser um herói é apenas aquele que faz o seu trabalho.
8. A nuvem de poeira não vai durar para sempre. Continue caminhando e procure a saída. Ela vai aparecer.
9. Sacuda a poeira e siga em frente. Você se lembra do primeiro comando do cão-guia? "Em frente."
10. Quando o trabalho tiver chegado ao fim, brinque muito com os seus amigos. E não se esqueça de emprestar seu ossinho de corda.

capítulo 14

Tudo vale a pena

"Deus nunca nos traz problemas intransponíveis. Em vez disso, ele nos dá desafios, espera até que possamos superá-los e, em seguida, rejubila-se."
MICHAEL HINGSON

Houve muitos momentos durante o 11 de Setembro em que eu acreditei que não sobreviveria. Quando o edifício se inclinou, pensei que seríamos lançados para a rua, 78 andares abaixo, e que eu jamais conseguiria escapar. Quando a Torre 2 desmoronou, achei que seríamos esmagados pelos escombros ou pela própria estrutura do edifício. Quando a nuvem de poeira se espalhou à nossa volta, tive certeza de que morreria asfixiado. O que não aconteceu. Em algum lugar, bem no fundo, havia uma ponta de fé me dizendo que, se Roselle e eu trabalhássemos juntos, ficaríamos bem. E, de alguma forma, nós conseguimos sair daquela nuvem e sobrevivemos. Até hoje, há momentos em que eu não acredito que estou vivo.

Naquela manhã, saí do marco zero um homem muito diferente daquele que tinha aberto a porta do escritório. Sobrevivi, estou bem, mas mudei. Creio que não haja uma pessoa sequer que tenha testemunhado o 11 de Setembro e que não tenha mudado. Há aqueles que perderam a esperança, que se tornaram pessoas amarguradas, irritadas, intolerantes e detestáveis. Eu não sou uma delas. Ainda acredito nos meus sonhos. Ainda penso que, se trabalharmos juntos, tudo dará certo. Ainda sinto que, se tratarmos uns aos outros com gentileza, dignidade e respeito, viveremos felizes sempre. Eu tenho esperança.

Não muito tempo atrás, eu estava na fila para passar pela segurança do aeroporto de Oakland, na Califórnia. Assim que cheguei ao seu fim; outro passageiro me disse:

– Vamos deixar você passar na frente da fila.

– Por que eu deveria aceitar? – perguntei.

– Porque será mais fácil para você.

– O que poderia ser mais fácil do que esperar em uma fila? Faço isso toda semana. Não se preocupe.

– Bom, será melhor para seu cachorro.

– Não, tudo bem. Não se preocupe.

Conforme a fila avançava, três outras pessoas tentaram me deixar passar na frente. Insistiram, e em pouco tempo ficaram tão irritadas que fui para a frente da fila apenas para evitar que aquilo se tornasse uma grande confusão.

Eu sei que aquelas pessoas tinham a melhor das intenções. Sei que estavam apenas tentando ajudar. Mas eu não precisava ser o primeiro da fila apenas porque sou cego. Eu quero ficar na fila. Quero seguir em frente como qualquer um. Não quero ser deixado de lado. Quero interagir, conversar com as pessoas e estar com elas.

Sonho com o dia em que poderei ir ao aeroporto e permanecer na fila sem receber demonstrações de piedade.

Sonho com o dia em que vou cortar uma fila e alguém vai me dizer:

– Quem você pensa que é para cortar a fila?

Sonho com o dia em que as pessoas cegas serão tratadas como todos os outros membros da sociedade, com o dia em que seremos verdadeiramente aceitos como cidadãos de primeira classe.

Desde o 11 de Setembro, recebo convites para falar sobre o que me aconteceu naquele dia e decidi aceitar por três motivos. Em primeiro lugar, porque pode ajudar as pessoas a entenderem melhor a cegueira e o fato de que a desvantagem não está em ser cego, mas sim nas atitudes e concepções erradas que as pessoas têm a respeito da cegueira. Então, falar vale a pena.

Em segundo lugar, isso ajuda as pessoas a entender como funciona a relação com o cão-guia, o que também vale muito a pena.

O terceiro motivo é ajudar as pessoas a superarem o 11 de Setembro e a descobrirem algumas lições importantes. Vale a pena.

Muito tempo atrás, eu viajei para a Nova Zelândia para contar a minha história. Na minha segunda semana por lá, conversei com um grupo de estudantes em South Island que eram ativistas da Royal Foundation of the Blind. Depois que falei, um deles nos contou sua história. Ele e um grupo de estudantes cegos tinham passado recentemente por uma expedição de aventura. No final de sua viagem, eles estavam sentados ao redor de uma fogueira quando o guia deles se levantou e disse:

– Tenho uma história para contar. Antes de sairmos, eu estava prestes a ligar para seus líderes para dizer que a viagem tinha sido cancelada porque eu não achava que seria possível guiar um grupo de pessoas cegas sem que alguém saísse morto. Não haveria como um cego praticar *rafting* ou alpinismo. Foi então que vi na TV uma entrevista de um cara cego que sobreviveu ao 11 de Setembro e que estava ali para mostrar o que as pessoas cegas podem fazer. Aquilo me fez mudar de ideia. Acabo de ter o melhor dia da minha vida. Pessoal, vou guiar vocês sempre que quiserem.

Se isso fosse a única coisa que esse "cara cego" tivesse conquistado por contar a sua história, já teria valido a pena. Tudo vale a pena.

Mais tarde naquele mesmo ano, participei de uma palestra na Temple University e uma mulher veio falar comigo. Ela tinha uma amiga que falecera no ataque ao Pentágono e estava arrasada, impressionada, mostrando-se incapaz de falar sobre a tragédia.

– Tive dificuldade em lidar com a perda da minha melhor amiga – disse ela. – Mas ouvir a sua história sobre o que aprendeu e como sobreviveu me ajudou muito. Você está certo. Nós precisamos continuar sonhando e precisamos também aprender a trabalhar juntos, e é o que vou fazer.

Não devemos deixar o medo nos paralisar. Temos que seguir em frente. A melhor forma de homenagear aqueles que perdemos nos destroços do 11 de Setembro é seguir adiante e construir uma sociedade melhor por meio da confiança e do trabalho em equipe. Nós podemos fazer isso acontecer.

É preciso sonhar, ousar e fazer. Vivenciei um pesadelo no marco zero, mas mesmo um pesadelo pode virar um final feliz se você não ceder ao medo. Com as cinzas e os destroços do 11 de Setembro, podemos criar blocos de construção para o futuro. Não deixe que a sua visão o impeça de enxergar. Junte-se a Roselle, Karen e a mim. Vamos sacudir essa poeira e seguir em frente.

Em frente.

Linha do tempo de 11 de setembro de 2001

Linha do tempo extraída do *The 9/11 Comission Report,* combinada com notas de Michael Hingson.

00h30 Em Westfield, Nova Jersey, Roselle, tremendo de medo por conta de uma tempestade que se aproxima, acorda Michael.

05h00 Michael Hingson acorda com o despertador, levanta-se, veste-se, toma café da manhã e se prepara para o trabalho.

05h45 O líder terrorista Mohamed Atta e seu cúmplice Abdulaziz al-Omari passam pela segurança em Portland, Maine, e se preparam para embarcar em um voo com destino a Boston.

06h00 São abertas as urnas para as eleições primárias em Nova York. O prefeito Rudolph Giuliani está fora porque não poderá se reeleger novamente. Charlie, o proprietário da Happy Fox Taxi, pega Roselle e Mike para uma viagem de dez minutos até a estação New Jersey Transit.

06h48 O trem das 6h18 finalmente chega à estação após inúmeros avisos de atraso.

07h15 Michael e Roselle chegam a Newark e fazem a transferência para um trem PATH, rumo ao World Trade Center.

07h43 Michael e Roselle chegam à estação do World Trade Center e caminham pelo estacionamento do quarto subsolo, onde pegam um elevador que os leva até o lobby da Torre 1, ou Torre Norte. O cartão de segurança de Michael é validado e eles caminham para o elevador expresso.

07h50 Michael abre a porta do escritório da Quantum. localizada no 78º andar da Torre Norte. Alguns minutos depois, David Frank e outras seis pessoas chegam para participar de um treinamento de vendas. Um dos convidados volta ao térreo para receber as pessoas que chegam. Permanecem no escritório Michael, Roselle, David Frank e outras cinco pessoas.

8h35 A Federal Aviation Administration envia uma mensagem ao North American Aerospace Defense Command (NORAD): O voo 11 da American Airlines, com destino a Boston, fora sequestrado.

8h46 O voo 11 da American Airlines se choca com a Torre Norte do World Trade Center atravessando os andares de 93 a 99.

8h47 Michael telefona para a sua esposa, Karen, e diz que houve uma explosão.

8h50 Michael, Roselle e David chegam à escadaria B.

8h55 A primeira vítima com queimaduras passa por Michael nas escadarias. Cinco minutos depois, outra vítima com sinais de queimadura passa por ele.

9h03 O voo 175 da United Airlines se choca com a Torre Sul do World Trade Center. De dentro das escadarias, Michael e os demais não ouvem a explosão.

9h08 Alguém passa garrafas de água para as pessoas nas escadas.

9h10 No 30º andar, um grupo de bombeiros passa por Michael e seu grupo. Michael conversa com o primeiro bombeiro. A Federal Aviation Administration fecha os aeroportos da cidade de Nova York.

9h21 Todas as pontes e túneis de Nova York são fechados por determinação da Port Authority.

9h26 Todos os voos não militares no espaço aéreo americano recebem ordens da Federal Aviation Administration para pousar.

9h30 O presidente George W. Bush, falando de Sarasota, na Flórida, declara que os Estados Unidos sofreram "o que parece ser um ataque terrorista".

9h35 Michael, Roselle e David chegam ao primeiro andar e passam pela cortina de água lançada pelos extintores de incêndio, chegando ao saguão.

9h37 O voo 77 da American Airlines se choca com o Pentágono em Arlington, Virginia, subúrbio de Washington, DC.

9h45 Michael e Roselle deixam o World Trade Center. A Casa Branca é evacuada.

9h59 A Torre Sul, ou Torre 2, entra em colapso.

10h01 Michael e Roselle encontram uma entrada para a estação de metrô Fulton Street, onde se refugiam por alguns minutos. Uma parte do Pentágono começa a desmoronar.

10h06 O voo 93 da United Airlines cai em Shanksville, na Pensilvânia, aproximadamente 130 quilômetros a sudeste de Pittsburgh.

10h17 Michael e Roselle deixam a estação com a ajuda de um policial e voltam para a rua.

10h24 A Federal Aviation Administration informa que todos os voos transatlânticos serão desviados para o Canadá.

10h29 A Torre Norte, ou Torre 1, entra em colapso.

10h32 Michael consegue falar com Karen pelo celular, diz que está vivo e que conseguiu sair do World Trade Center.

10h58 Michael, Roselle e David descansam no banco de uma pequena praça perto da Broadway e de Canal Street.

11h00 Michael escuta no rádio que o prefeito Giuliani pede calma à população. Ele ordena que a parte sul de Manhattan seja evacuada e que as pessoas sigam para o norte da Canal Street. Giuliani também pede para que todos permaneçam em suas casas.

11h30 Michael, Roselle e David param para descansar em um pequeno restaurante vietnamita. Michael pede uma tigela de sopa. Aviões militares circulam pelo céu.

12h02 O chefe de Michael, Ric Dickson, envia um e-mail à sua equipe: "Michael acabou de falar comigo por celular. Ele e David Frank estão juntos e serão levados para uma área ainda mais distante. Estão um pouco sujos e cansados, mas estão bem. Ambos conseguiram sair antes que a nossa torre desabasse. Nós realmente achávamos que tínhamos perdido Mike e David quando vimos aquela torre vindo abaixo..."

12h45 Michael, Roselle e David caminham em direção ao apartamento de Nina Resnick. Eles pegam carona com alguns estranhos amigáveis.

13h15 Nina havia saído para comprar comida, então Michael, Roselle e David esperam no saguão do prédio onde ela mora.

13h44 Cinco navios de guerra e dois porta-aviões deixam Norfolk, na Virgínia, para proteger a Costa Leste de novos ataques.

13h50 Nina chega com sacolas do supermercado. Os três e Roselle sobem as escadas, limpam-se, conversam, ouvem as notícias, comem e fazem anotações sobre os acontecimentos do dia.

14h49 O prefeito Giuliani comunica que os serviços de metrô e ônibus serão parcialmente restabelecidos.

16h00 Karen deixa uma mensagem na caixa postal de Michael dizendo que um amigo fez o trajeto de Manhattan até sua casa em Nova Jersey de trem. Michael retorna a ligação e decide tentar voltar para casa. A CNN informa que os oficiais dos Estados Unidos têm evidências de que um militante da Arábia Saudita, Osama bin Laden, tem envolvimento com os ataques. Bin Laden posteriormente assumiu a responsabilidade direta pelos ataques ao World Trade Center em 11 de setembro de 2001. Ele foi morto a tiros pela Força de Operações Especiais da Marinha dos Estados Unidos em 2 de maio de 2011, no Paquistão, durante uma operação secreta.

16h30 Michael, Roselle e David agradecem Nina pela ajuda e deixam o prédio. Algumas quadras adiante, eles tomam um ônibus rumo às ruas 6th e 33th, próximas à Penn Station. Todo o transporte público tem passagem gratuita. O presidente Bush (que foi levado da Flórida para a base aérea de Barksdale, na Louisiana, e depois para a base aérea de Offutt, em Nebraska) embarca no Air Force One para retornar a Washington, DC.

17h21 O Edifício 7 do World Trade Center desmorona completamente.

17h30 Michael e David se despedem rapidamente, emocionados. David segue para a casa de um amigo no Upper East Side.

18h05 Michael embarca em um trem para Newark, Nova Jersey. As pessoas no trem veem a poeira na roupa de Michael e lhe perguntam sobre sua experiência.

18h10 O prefeito Giuliani pede aos nova-iorquinos que permaneçam em casa na quarta-feira.

18h37 Michael e Roselle chegam à estação de Newark e pegam um trem para Westfield, Nova Jersey, na plataforma 5. Karen e Tom saem para buscar Michael e Roselle. Do lado de fora da estação, eles podem ver a fumaça que vem do World Trade Center, a mais de trinta quilômetros de distância.

19h02 Michael e Roselle chegam à estação de Westfield. Ao saírem dela, Karen os espera com a van da família, que é dirigida por seu amigo Tom Painter.

19h15 Michael, Karen, Tom e Roselle chegam em casa. Michael tira a guia de Roselle e tenta escovar os pelos dela, mas ela está mais interessada em brincar com Linnie. Michael toma banho enquanto Karen pede comida chinesa. Michael, Karen e Tom desfrutam calmamente a refeição enquanto assistem à TV.

20h30 O presidente George W. Bush faz um pronunciamento na televisão: "Milhares de vidas chegaram subitamente ao fim como fruto de uma obra de maldade", e completa: "Essas ações destruíram estruturas de aço, mas não são capazes de destruir a força da determinação americana". Amigos e familiares de Michael começam a telefonar. Embora esteja cansado, Michael fala com o maior número de pessoas possível.

22h49 Surgem relatos de que havia entre três e cinco sequestradores armados com facas em cada avião.

23h00 Por insistência de Karen, Michael conversa sobre os acontecimentos do dia com K. Cherie Jones, uma amiga e pastora em Atascadero, na Califórnia.

00h00 Michael e Roselle vão para a cama e caem no sono tranquilamente. Sem tempestades.

Guia de cortesia

National Federation of the Blind

Quando você me encontrar, não se sinta constrangido. Vai nos ajudar muito se você se lembrar de algumas atitudes simples de cortesia:

1. Sou uma pessoa comum, só que cega. Você não precisa levantar a voz ou me tratar como uma criança. Não pergunte ao meu cônjuge se quero chantili no café, pergunte a mim.

2. Posso usar uma bengala branca ou um cão-guia para caminhar de forma independente; ou talvez eu peça para que você me dê o seu braço. Permita que eu decida e, por favor, não agarre no meu braço, deixe que eu pegue o seu. Vou manter uma distância de meio-passo atrás para me precaver de obstáculos e degraus.

3. Quero saber quem está em um cômodo comigo. Avise-me disso quando entrarmos. Apresente-me aos demais, inclusive às crianças, e me avise caso haja algum gato ou cachorro.

4. A porta de um cômodo, armário ou carro parcialmente aberta pode ser uma armadilha pra mim.

5. No jantar, eu não terei nenhuma dificuldade para manusear os talheres.

6. Não evite palavras como "ver". Eu também as uso. Sempre me sinto feliz em ver você.

7. Não quero piedade. Não fale sobre "as maravilhosas compensações" da cegueira. Os meus outros sentidos (tato, olfato e audição) não melhoraram quando eu fiquei cego. Confio mais neles hoje e, por isso, consigo extrair mais informações com eles do que você consegue. É só isso.

8. Se eu sou seu hóspede, por favor, mostre-me onde fica o banheiro, o armário, a cômoda, a janela e o interruptor de luz. Gosto de saber se as luzes estão acesas.

9. Posso conversar sobre a cegueira com você caso tenha essa curiosidade, mas isso é algo antigo para mim. Tenho muitos outros interesses, assim como você.

10. Não me veja simplesmente como uma pessoa cega. Sou apenas uma pessoa que, por acaso, é cega.

Em todos os cinquenta estados dos EUA, a lei determina que eu tenha preferência de passagem quando os motoristas veem a minha bengala branca estendida. Apenas os cegos podem andar com bengalas brancas. Hoje em dia, é possível ver muito mais cegos andando sozinhos – não porque existam mais cegos, mas porque nós aprendemos a andar sozinhos.

Cegueira: uma dissertação escrita com a mão esquerda

Kenneth Jernigan

Vocês me pediram para comentar uma aparente contradição existente na filosofia da National Federation of the Blind. Vocês dizem que, por um lado, nós afirmamos: "As pessoas cegas podem competir em igualdade com uma pessoa comum, que enxerga, se ela receber os treinamentos e as oportunidades adequados". Vocês apontam, em particular, nossa declaração de que "A pessoa cega comum é capaz de realizar um trabalho comum em um ambiente profissional comum, e faz isso tão bem quanto seu semelhante que enxerga". Vocês me lembram de que nós dissemos com insistência ao mundo que "A pessoa cega pode ter uma vida tão feliz e tão satisfatória quanto qualquer outra pessoa".

Vocês me dizem que, por outro lado, afirmamos que a cegueira não precisa ser a enorme tragédia que sempre foi considerada, que pode ser reduzida a um mero incômodo físico. Vocês me dizem que essas duas proposições parecem contrárias e que, se você acredita em uma, é impossível acreditar na outra. Vocês me dizem que estão preparados para aceitar o fato de que o cego pode competir, mas não para admitir – a não ser que eu ofereça razões válidas para provar o contrário – que a cegueira é simplesmente um incômodo. Ou seja, a cegueira seria mais do que uma característica qualquer na vida de uma pessoa normal.

Permita-me começar dizendo que vocês me colocaram em uma posição bastante inusitada. As pessoas comuns querem afirmar o oposto. A maior parte delas afirma que é ridículo dizer que a cegueira possa ser reduzida ao nível de "incômodo", já que ela é claramente uma grande tragédia envolvendo limitações e problemas severos – isso sem mencionar problemas emocionais e psicológicos. Vocês, todavia, negam que a cegueira seja sequer um incômodo e me pedem para provar que é! Está bem, eu vou tentar. O próprio fato de vocês levantarem essa questão mostra o quanto nós progredimos. Eu duvido que algum de nós poderia ter levantado esse tipo de questão até mesmo em tempos modernos, como vinte anos atrás.

Para começar, mesmo se nós admitíssemos – e eu não vou admitir, como vocês perceberão em breve – que uma pessoa cega possa fazer exatamente tudo o que uma pessoa com visão faz e com a mesma facilidade, a cegueira ainda seria um incômodo se considerássemos como o mundo é atualmente composto. Por quê? Porque o mundo é planejado e estruturado para aqueles que enxergam. Isso não significa que a cegueira tenha de ser uma tragédia terrível, ou que os cegos sejam inferiores, ou que não possam competir em termos de igualdade com aqueles que enxergam. E nós, da National Federation of the Blind, por exemplo, afirmamos que uma pessoa cega comum pode competir em igualdade com uma pessoa comum que enxerga, desde que ela tenha as oportunidades e receba os treinamentos adequados. Nós sabemos que uma pessoa cega comum pode realizar um trabalho comum em um ambiente de trabalho comum – e se sair tão bem como seu semelhante que enxerga. Em outras palavras, a pessoa cega pode ter uma vida feliz e plena como qualquer outra pessoa.

Para fazer uma analogia mais precisa, considere a situação dos canhotos. O mundo é planejado e estruturado para os destros. Portanto, ser canhoto é um incômodo, e especialmente os próprios canhotos reconhecem isso. Mesmo assim, eles competem em termos de igualdade com os destros, já que esse obstáculo pode ser reduzido a um mero incômodo físico.

Se você não é canhoto (eu não sou, eu sou "normal"), talvez nunca tenha parado para pensar nessa questão. Um canhoto normalmente usa o relógio no braço direito. Não fazer isso causa estranheza e desconforto. No entanto, o relógio é feito para os destros. Portanto, quando é usado no braço direito, o pino fica apontado para o cotovelo, não para os dedos. Ajustar o relógio se torna uma tarefa inconveniente, um verdadeiro incômodo.

Então, temos as facas de manteiga. A maior parte delas é feita de modo que o canhoto tenha de espalhar a manteiga com a parte de trás da faca, ou usar desconfortavelmente a mão direita, ou virar o pulso de uma forma também desconfortável. Todas as alternativas são incômodas. Mas nada que ultraje a pessoa ou lhe cause pesadelos. São apenas detalhes irritantes.

Aquele abridor de latas que você segura com a mão esquerda e gira com a direita (se você for "normal") é feito para "pessoas normais". Se você segurá-lo com a mão direita e virá-lo com a esquerda (como qualquer canhoto respeitável se sente tentado a fazer), deve segurá-lo desajeitadamente ao contrário ou virá-lo de ponta cabeça para que o cabo fique na posição adequada. E, nesse caso, o abridor simplesmente não vai funcionar.

Da mesma forma, as facas de serra têm serras que favorecem aos destros. Tesouras, batedores de ovos, conchas de sorvete e outros utensílios também são feitos pensando no mesmo grupo de pessoas.

E assim também são as carteiras escolares comuns. Quantas com apoio para o braço virado para o lado esquerdo você já viu? É claro que alguns colégios e algumas faculdades iluminadas (com a preocupação atual pelo bem-estar das minorias) têm duas ou três cadeiras para canhotos em cada sala, mas essa é a exceção, e não a regra. E essa atitude só atrai a fúria dos destros chauvinistas, que precisam usar as carteiras para canhotos quando a sala está cheia e não há nenhum canhoto. É claro que essas carteiras ocasionalmente colocadas para os canhotos são a forma mais clara de simbolismo.

Em pelo menos um caso, o problema do canhoto aparentemente não é somente um efeito colateral do fato de o mundo ser criado para os destros, mas sim uma fraqueza real e inerente. Quando o canhoto escreve com tinta (a caneta esferográfica foi, de fato, uma bênção), sua mão tende a esfregar a tinta conforme se arrasta sobre o que já foi escrito. Obviamente, o canhoto pode levantar a mão enquanto escreve, mas essa é uma técnica "inferior", para não mencionar o cansaço que ela causa. Se examinarmos de perto, até mesmo essa fraqueza aparentemente inerente não é, na verdade, inerente, mas apenas mais um problema criado pela sociedade que atende aos destros. Não há nenhum motivo para ser melhor começar a ler ou a escrever do lado esquerdo da página e se mover para o lado direito, exceto a eficiência e o conforto para a maioria das pessoas – ou seja, para os destros. Aliás, para os canhotos, fazer o oposto (ler ou escrever da direita para a esquerda) seria tão fácil quanto (se não mais fácil).

Os canhotos sempre foram considerados inferiores pelos destros. Em outras épocas (bastante primitivas, diga-se de passagem, como vinte ou trinta anos atrás), os pais tentavam fazer seus filhos agirem normalmente – ou seja, usarem a mão direita. Agindo dessa forma, esses pais frequentemente criavam traumas e problemas psiquiátricos (como complexos, psicoses e desequilíbrios emocionais). Atualmente (na era do Iluminismo), embora os pais não digam exatamente que "ser canhoto é lindo", eles reconhecem o direito das minorias e deixam seus filhos canhotos serem canhotos.

Um parêntese: devo dizer aqui que aqueles que trabalham com cegos nem sempre são tão progressistas. Pais e, em especial, educadores, ainda tentam fazer a criança cega com um pouco de visão ler fontes ampliadas, mesmo quando o braille lhes serviria melhor e seria muito mais eficaz. Esses pais e educadores dão enorme importância ao ler "normalmente" e não ser "diferente". Fazem os filhos sentirem vergonha por serem cegos e, geralmente, causam-lhes danos permanentes.

Mas, voltemos aos canhotos. Independentemente do nível de sabedoria de seus pais e professores, o antigo mito de inferioridade dos canhotos ainda atormenta a vida da infeliz minoria. Dizer que alguém o "cumprimentou com a mão esquerda" não é um elogio para os canhotos. Em geral, é a mão esquerda que não sabe o que a mão direita está fazendo, e não o contrário. E é a mão direita que se ergue ou se coloca sobre a Bíblia ao se fazer um juramento. Saudações e juramentos de fidelidade também são feitos usando a mão direita. As Escrituras nos dizem que o bom e o mal devem ser separados e que, no dia do Julgamento Final, a ovelha estará à direita e o bode estará à esquerda, de onde este o lançará no inferno e na escuridão profunda para todo o sempre. O convidado de honra se senta ao lado do anfitrião.

Se o uso das palavras "esquerda" e "direita" são uma sutileza da língua que reforçam o estereótipo e denunciam o que está profundamente enraizado, se são preconceitos subconscientes ou se são acidentais – como os "normais" alegam –, bem, isso ninguém sabe. Pode ser que os canhotos sejam hipersensíveis, que carreguem uma cruz em seus ombros e estejam procurando insultos onde simplesmente não há.

É difícil acreditar nisso, todavia, quando consideramos a palavra gauche. A edição de 1971 do *Webster's Third New International Dictionary of the English Language, Unabridged*, define: "*gauche* [...] esquerda, à esquerda, francês [...] aquele que demonstra falta de graça social, traquejo social e familiaridade com os modos polidos; inclinado a cometer tropeços sociais, especialmente por falta de experiência ou de treino [...] sem retoque final ou demonstrando crueza (seja de estilo, forma ou técnica) [...] feito ou criado para ser usado com a mão esquerda: left-handed. Sinônimo, ver AWKWARD."

Seja lá o que mais for dito, não há nada de sutil na definição acima, assim como não há nada de sutil no termo *bar sinistre*, que vem do latim *sinistral*, que significa canhoto. A mesma edição do *Webster's*, citada acima, diz ainda: "*bar sinistre* [...] fato ou condição de ter tido um nascimento ilegítimo [...] um estigma, uma mancha ou uma repreensão contínua (como por conta de conduta imprópria ou status irregular)". Hipersensível? Sofista? Não, mesmo! Canhotos, levantem-se. Vocês não têm nada a perder, nada além das correntes que os prendem. E elas provavelmente não lhes servem, já que foram feitas para os destros.

Como acontece com outras minorias oprimidas, as sutilezas da língua e os preconceitos são levados para o mercado de trabalho. Conheço uma garota, por exemplo, que vive no Kansas e procurava emprego em uma fábrica naquele estado. Foi entrevistada e passou em todos os testes com facilidade. O possível empregador encerrou a entrevista dizendo:

– Você é bastante qualificada para o emprego e eu a contrataria imediatamente, não fosse esse empecilho.

Furiosa e indignada, ela exigiu saber do que ele estava falando.

– Como assim!?

O contratador se surpreendeu.

– É óbvio! Você é canhota. As máquinas da nossa linha de produção são feitas para destros. Você vai acabar tornando toda a operação mais lenta.

Isso não é uma história criada, é um caso verdadeiro. A empresa produz cartões. A garota não conquistou o emprego.

Se de fato a garota canhota diminuiria o ritmo de produção, é difícil enxergar como a ação do empregador pode ser chamada de discriminatória. Não se poderia esperar que ele comprasse novas máquinas ou que redesenhasse toda a fábrica simplesmente para dar o emprego a ela. A pessoa "normal" é destra, e é racional que a fábrica seja desenhada de acordo com essa realidade.

Ou nada disso faz sentido? Não é assim que os empregadores e o público em geral pensam e falam dos cegos? Como o funcionário sabia que a garota tornaria a produção mais lenta? Como ele sabia que ela era menos eficiente? Talvez ela tivesse técnicas alternativas. Talvez, aliás, ela até pudesse realizar um trabalho melhor do que a maioria das outras pessoas na linha de produção. Ele concluiu (com base no que ele sem dúvida chamou de razões "óbvias" e "senso comum") que ela não conseguiria realizar o trabalho. Portanto, ela nunca teria a oportunidade de tentar. Atentem-se ao "óbvio" e analise com muito cuidado o que se chama de "senso comum".

Vocês ainda dizem que não há discriminação contra canhotos? É provável que vocês pensem que esse tipo de discriminação não existe, até realmente começem a pensar no assunto, até realmente observem os fatos – e, mesmo assim, algumas pessoas dirão que vocês estão sendo sofistas, que estão exagerando. E isso é muito similar ao caso dos cegos. É muito fácil fazer julgamentos precipitados e ter todas as respostas, especialmente quando você não está diante do problema ou não é forçado a olhar para a realidade.

Considerando tudo que foi exposto anteriormente, vocês podem concluir que a realidade dos canhotos não é fácil. Mesmo assim, sua fraqueza pode ser reduzida ao nível de um mero incômodo. Não significa incapacidade ou inferioridade. Essa característica não os torna psicologicamente mutilados. Com oportunidades razoáveis, o canhoto pode competir de igual para igual com seu semelhante destro. Um canhoto comum pode realizar um trabalho comum em um local de trabalho comum – e um trabalho tão bom quanto o de um destro comum.

Portanto, até onde eu vejo, não há nenhuma fraqueza inerente a ser canhoto. O problema é que a sociedade está estruturada para os destros. Porém, esses problemas (por mais irritantes que sejam) não impedem que o canhoto leve uma vida normal e concorra com outras pessoas. Tais problemas estão apenas no nível "incômodo".

Assim, mesmo se ser cego (assim como ser canhoto) não tivesse problemas inerentes, a cegueira ainda seria um incômodo, já que a sociedade é estruturada e planejada para os que enxergam – embora em alguns casos essa sociedade pudesse funcionar de forma mais eficiente se o contrário fosse verdade. Por exemplo, a maioria das janelas nos edifícios modernos não está lá para promover ventilação. Elas só estão lá para que as pessoas com visão possam procurá-las. Com elas, o prédio perde o ar quente no inverno e o ar frio no verão, mas os que enxergam (a maioria) terão suas janelas.

Acredito, entretanto, que ser cego não é exatamente como ser canhoto. Acredito que existam atividades inerentemente mais fáceis de serem realizadas com visão do que sem visão. Por exemplo, você pode olhar para um lado da rua e ver quem está vindo. Pode olhar para o outro lado de uma sala lotada e saber quem está lá.

Mas me parece que é aqui que as pessoas se confundem. Elas supõem que, como você não pode olhar para o outro lado da sala e ver quem está lá, ou desfrutar de um pôr do sol, ou olhar rua abaixo e encontrar um amigo, você está vivendo uma enorme tragédia. Pensam que você é psicologicamente incapacitado, sociologicamente inferior e economicamente incapaz. Independentemente de qual palavra as pessoas usem, no fundo (bem no fundo) elas sentem que os cegos são necessariamente menos afortunados do que quem enxerga. Acham que a cegueira significa ausência de capacidade. Essas visões são sustentadas não apenas por muitas pessoas que enxergam, mas também por muitos cegos. E essas visões também são sustentadas por muitos, se não a maioria, dos profissionais que trabalham com os cegos. No *Journal of Rehabilitation* de janeiro e fevereiro de 1966, foi publicado um artigo com o título "Social Isolation of the Blind: an Understated Aspect of Disability and Dependency" ("Isolamento social dos cegos: um aspecto subestimado da deficiência e dependência"). O artigo em questão foi escrito por ninguém menos do que doutor D. C. MacFarland, chefe do setor de serviços sociais e de reabilitação para cegos do Departamento de Saúde, Educação e Bem-Estar. O médico afirma:

> Permita-me repetir uma declaração à qual eu me oponho violentamente. Há uma ficção se desenvolvendo lentamente que pode ser resumida na seguinte generalização: "A cegueira não passa de uma mera inconveniência". Eu não concordo com isso e não sei que nome dar a tal exagero. Acho que isso já causou uma quantidade suficiente de problemas, empurrando algumas pessoas muito

bem-intencionadas para fora de seus caminhos a respeito do que a cegueira realmente representa na vida das pessoas.

Para mim, parece que MacFarland está tão fora do caminho quanto a pessoa que defende que a cegueira simplesmente não é importante o suficiente para ser considerada um incômodo. Acredito que seria prazeroso assistir ao pôr do sol. Acho que seria útil olhar do outro lado da sala ou rua abaixo e reconhecer um amigo. No entanto, sei que essas coisas são periféricas quando comparadas às preocupações maiores da vida. É verdade que às vezes a cegueira é um incômodo que me força a desenvolver técnicas alternativas para chegar aos mesmos resultados aos quais eu chegaria sem esforços se tivesse visão, mas é só isso - um incômodo -, e não uma tragédia, uma crise psicológica ou um incidente internacional.

Para mim, parece que muitos dos problemas que são vistos como inerentes à cegueira são mais como aqueles dos canhotos. Em outras palavras, efeitos colaterais da estruturação da sociedade para aqueles que enxergam. Para mim, parece que os outros problemas (aqueles que são realmente naturais dos cegos) são excessivamente superestimados e dramatizados.

A cegueira pode, de fato, ser uma tragédia e um verdadeiro inferno, mas isso não acontece por causa da cegueira e do que é inerente a ela. Acontece por causa do pensamento das pessoas a respeito da cegueira e por causa das privações e das negações que surgem como resultado dessa forma de pensar. Culpa dos mitos destrutivos que existem desde os tempos das cavernas: mitos que equiparam visão à habilidade e luz à inteligência e pureza. É porque os cegos, sendo parte da cultura geral, tendem a aceitar as atitudes públicas e, com isso, ajudaram a transformar essas atitudes em algo sedimentado ao longo do tempo.

No meu entender, tudo que eu venho dizendo está ligado ao motivo que levou à criação da National Federation of the Blind. Se nosso principal problema é a cegueira como fato físico, acho que há pouco propósito em nos organizarmos. No entanto, o verdadeiro problema não é a cegueira, mas as atitudes erradas que se tem com relação a ela.

Essas atitudes podem ser mudadas, e nós as estamos mudando. Os que enxergam também podem mudar. Podemos mostrar para eles que não somos inferiores e que as antigas ideias estavam erradas, que nós somos capazes de competir com aqueles que enxergam, de jogar com aqueles que enxergam, de trabalhar com aqueles que enxergam e de viver com aqueles que enxergam em completa igualdade. Nós, os cegos, também podemos reconhecer essas verdades e vivermos de acordo com elas.

Por todos esses motivos, eu lhes digo que os cegos são capazes de competir em igualdade com aqueles que enxergam, mas também digo que a cegueira (quando vista da forma certa) ainda é um incômodo físico. Devemos evitar o pecado e a falácia dos extremos. A cegueira não precisar ser um inferno carregado de tragédias. Não pode ser uma total nulidade, sem nenhuma inconveniência. Ela pode, como nós da National Federation of the Blind dizemos em todas as oportunidades, ser reduzida a um mero incômodo. É isso aí! Nós, os cegos, não devemos nem viver tendo pena de nós mesmos ou acreditando nos mitos da trágica privação, nem mentir para nós mesmos e negar a existência de um problema. Nós precisamos da sua ajuda. Buscamos sua compreensão. E queremos sua ajuda para mudar nosso status na sociedade. Em nosso movimento, não há lugar para a filosofia do humilde *Uncle Tom*[1], mas também não há espaço para uma beligerância irracional e irrealista. Nós não estamos aqui para "ser vistos". Vocês estariam dispostos a trabalhar com a gente?

---

1 N. T.: *Uncle Tom* é um termo pejorativo usado para descrever os negros norte-americanos que agem de forma subserviente às figuras de autoridade representadas pelo americano branco. O termo também pode ser usado para descrever qualquer pessoa reconhecida como envolvida na opressão de seu próprio grupo.

Glossário de termos relacionados à cegueira

Adaptado com permissão da Braille Plus, uma organização que oferece formatos alternativos de documentos para aqueles que não têm acesso a impressões. Para uma versão completa do glossário em inglês, visite: http://brailleplus.net/category/glossary-of-terms/ .

acessibilidade: a maioria das definições do termo enfatiza a facilidade de utilização. Nos Estados Unidos, várias leis regulamentam os requisitos para a acessibilidade. Cada uma dessas leis, e até mesmo parte delas, é fiscalizada por agências federais distintas. Cada agência é responsável por criar e publicar regras e diretrizes que as implementem.

acuidade visual: significa a nitidez da visão ou a habilidade visual de decifrar detalhes (em geral, medida por uma carta de Snellen). A acuidade visual é expressa por meio de uma fração. Os números na parte superior indicam a distância entre você e o quadro. Em geral, são 20 pés (6 metros). O número na parte inferior indica a distância onde estaria uma pessoa que conseguiria ler o que você leu corretamente. Por exemplo, 20/20 é considerado normal. 20/40 indica que a linha que você leu corretamente a 20 pés (6 metros) poderia ser lida por uma pessoa com visão normal a 40 pés (12 metros) de distância. O teste é realizado quando há problemas ou alterações na visão.

ADA (Americans with Disabilities Act): é um conjunto de leis bastante complexo e aplicado nos Estados Unidos. Ele atribui responsabilidades reguladoras e de investigação a várias agências. Cada agência responsável publica suas regulamentações e seus processos de queixa. Denúncias e/ou processos podem ser abertos contra qualquer ato discriminatório.

alfabetização braille: esse termo vem sendo adotado pela comunidade dos cegos de diversos países como o conceito central em prol das crianças. Seus defensores equiparam a alfabetização braille à alfabetização das pessoas que enxergam, apontando algumas estatísticas críticas para sustentar sua posição. Nos Estados Unidos, a taxa de desemprego entre cegos é de aproximadamente 73%. Todavia, 90% daquelas que sabem braille estão empregadas. A lógica, portanto, é que, se as crianças puderem ser alfabetizadas em braille, suas oportunidades de emprego mais do que triplicam.

amblíope: em termos técnicos, amblíope é a pessoa cuja acuidade visual corrigida não é melhor do que 20/70 em um dos olhos, mas que, ainda assim, consegue enxergar mais que apenas a percepção da luz com esse olho.

ampliação de tela: softwares de computador controlados pelo usuário para ampliar as imagens e textos e aumentar o contraste das letras na tela.

animal de assistência: termo genérico para se referir aos animais especialmente treinados para auxiliar as pessoas com limitações a realizar várias atividades. Nos Estados Unidos, o uso desses animais é protegido pelas leis do ADA. Nenhum desses animais pode ser excluído de hospedagens, acomodações públicas ou agências públicas. O uso de cão-guia por uma pessoa cega é assegurado por lei, assim como o uso de cão-ouvinte, animal de companhia e outros animais de serviço.

áudio tátil: tecnologia de ponta que combina o uso de gráficos táteis (linhas em relevo), um display *touch screen*, um *drawing pad* e um programa de computador. Um arquivo é aberto no computador e traz comentários associados às diferentes áreas do *touch screen*. O gráfico tátil tem linhas em relevo que representam ou guiam essas áreas do arquivo com comentários. O software de síntese de voz lê em voz alta o comentário quando as várias áreas da tela sensível ao toque são tocadas. Essa tecnologia ainda está em desenvolvimento, mas excelentes protótipos já foram usados.

audiolivro: em termos gerais, refere-se a qualquer edição gravada de um documento publicado (revista, livro didático, romance etc.). Há muitas edições comerciais de documentos oferecidas à comunidade cega por organizações, bibliotecas, instituições de caridade e instituições educacionais.

bengala branca: a bengala branca longa foi inventada em 1930 por George A. Bonham, nos Estados Unidos. Sua distintiva extensão branca com uma faixa vermelha próxima da ponta é internacionalmente reconhecida como um sinal de que a pessoa que a está utilizando é cega.

braille contraído: o braille consiste em um alfabeto padrão e centenas de abreviações e contrações. O uso dessas abreviações cria o braille contraído, economizando aproximadamente 20% do espaço do braille não contraído.

braille sem papel: existem máquinas que usam várias maneiras para manejar agulhas plásticas ou metálicas em uma grade a fim de criar caracteres braille. Alguns desses sistemas devem ser usados apenas com computadores de mesa, enquanto outros integram as funções de um *laptop*. A quantidade de caracteres braille exibidos varia.

braille, língua estrangeira: a maioria das línguas escritas também conta com um conjunto de símbolos braille que a representa. Cada língua e nação estabelece seu próprio conjunto de regras no que diz respeito a esses caracteres e até mesmo à formatação de documentos. Na maior parte das línguas além do inglês, nenhuma forma contraída é usada no braille.

braille, primeira série: nome antigo usado para o tipo de braille que é escrito letra a letra. O nome usado atualmente é braille não contraído.

braille, segunda série: nome antigo para o braille que usa abreviações e contrações para economizar espaço. O nome usado atualmente é braille contraído.

braille: braille é um código, entendido da mesma forma como entendemos o código Morse, a língua de sinais e a taquigrafia. Não se trata de uma língua diferente. O braille é formado por "células braille". Cada célula, por sua vez, é composta de dois pontos na horizontal e três pontos na vertical. Quando a célula está preenchida, ela se parece com um retângulo apoiado em um dos lados menores. O código braille atribui significados especiais para praticamente todas as combinações matemáticas de 1, 2, 3, 4, 5 e 6 pontos localizados em algum ponto da célula e em combinações de até quatro células. Para facilitar a referência, os pontos são numerados de cima para baixo. Do lado esquerdo estão os números 1, 2 e 3 e do lado direito estão 4, 5 e 6. Em materiais educativos e nas regras, você verá referências aos pontos 1, 3, 4 ou aos pontos 2, 5 e 6. Como existem apenas 64 combinações matemáticas possíveis para cada célula, muitas delas têm funções diversas.

caneta e régua-guia para escrita em braille: Quando Louis Braille começou a criar o braille, ele usava uma sovela para fazer marcas no papel e em outros materiais. Com o tempo, a forma da sovela foi modificada de modo a se tornar uma caneta com ponta de metal e, em geral, equipada com um cabo em forma de pera, para ser mais facilmente segurado. A régua-guia evoluiu de modo a trazer consistência à posição e profundidade dos pontos. As réguas-guia atuais têm vários tamanhos diferentes – desde apenas uma linha curta de braille até o tamanho suficiente para cobrir todo um cartão. Duas faixas de metal são fixadas em uma das laterais. A faixa superior tem filas de formato retangular. A faixa inferior é coberta com seis retângulos de pontos marcados no metal e apontados na direção da mesa. O usuário coloca uma folha de papel sobre a faixa inferior e fecha a faixa superior, deixando o papel no meio da régua-guia. Pequenos ganchos seguram o papel e evitam que ele deslize enquanto o usuário escreve em braille. Como o braille é lido da esquerda para a direita e deve ser usado com os pontos erguidos, o processo de usar a régua-guia e a caneta especial exige que o usuário faça os pontos no papel da direita para a esquerda, pressionando a ponta da caneta pelos buracos retangulares. As curvas no limite da caneta ajudam a alinhar sua ponta com os pontos logo abaixo.

cão-guia: cão especialmente treinado para ajudar os cegos a se locomoverem. Os cães usam uma coleira com uma guia especial, em de um U virado de ponta-cabeça, permitindo que o usuário segure a guia confortavelmente enquanto caminha. Esses animais são altamente treinados e devem sempre ser considerados uma ferramenta de trabalho, e não um animal de estimação para serem admirados ou acariciados por outras pessoas que não sejam o dono. Logo depois de desmamarem, eles passam a ser cuidadosamente observados e educados para desenvolver certas características (obediência, calma em locais desconhecidos, passividade diante de outros animais). Além disso, sua saúde é monitorada, já que apenas os animais mais saudáveis são usados em treinamentos adicionais e entregues a um cego para realizar seus serviços.

cegueira: perda completa ou parcial da visão. As pessoas cegas apresentam acuidade visual que não ultrapassa 20/200 no melhor olho com correção, ou campo visual igual ou menor que 20 graus (diâmetro). A cegueira pode ser causada por ferimentos, lesões do cérebro ou do nervo óptico, doenças da córnea ou da retina, alterações patológicas que dão origem a problemas sistêmicos e por catarata, glaucoma ou descolamento da retina. A cegueira pode ser causada por doenças infecciosas e por deficiências nutricionais – mais frequentes nos países em desenvolvimento, onde o atendimento médico é inadequado. Tipos específicos de cegueira incluem a cegueira noturna (que pode progredir e se transformar em cegueira total), daltonismo (incapacidade de distinguir cores) e cegueira causada pela neve (uma condição temporária causada pelo reflexo da luz do sol na neve).

demografia, deficientes visuais: demografia está ligada às características físicas de uma população (idade, sexo, estado civil, tamanho da família, educação, localização geográfica e ocupação). A demografia da população de cegos está mudando rapidamente. Em termos mundiais, muitas doenças oftalmológicas que causavam cegueira em outros tempos agora têm cura. No entanto, conforme esse número diminui, o número de pessoas que têm vida longa e enfrentam doenças oftalmológicas por conta da idade (como degeneração macular) cresce rapidamente. De acordo com o censo de 2000, nos Estados Unidos existiam aproximadamente 5 milhões de pessoas com mais de 65 anos que tiveram perda considerável da visão.

design de fácil utilização: o conceito de design de fácil utilização ou de design universal, um termo cunhado pelo falecido Ronald Mace, envolve desenvolver produtos, serviços e ambientes "estéticos e o mais utilizáveis possível, independentemente de idade, capacidade ou status". Esse conceito é aplicável em áreas como arquitetura, design de interiores ou de produto, disponibilização de informações e outras tecnologias.

display braille atualizável: máquinas que usam várias abordagens para o manejo de agulhas plásticas ou metálicas em uma grade a fim de criar caracteres braille. Alguns desses sistemas devem ser usados apenas em computadores de mesa, enquanto outros integram as funções de um laptop. Algumas unidades têm poucas células braille, enquanto outras têm células suficientes para replicar todo um monitor de impressão.

doença oftalmológica: condições que diminuem a capacidade de enxergar podem ser causadas por ferimentos, lesões do cérebro ou do nervo óptico, doenças da córnea ou da retina, alterações patológicas que originem problemas sistêmicos e por catarata, glaucoma ou descolamento da retina. O número de pessoas enfrentando a ameaça de cegueira por doenças oftalmológicas relacionadas à idade é maior do que nunca. Mais de 1 milhão de americanos com mais de 40 anos são cegos atualmente e mais 2,4 milhões apresentam deficiências visuais. Espera-se que esse número dobre nos próximos 30 anos, conforme a geração do *baby boom* envelheça. As principais causas de cegueira e perda parcial de visão nos Estados Unidos incluem: retinopatia diabética, degeneração macular relacionada com a idade (a causa mais comum de cegueira e de deficiência visual nos americanos com mais de 60 anos), catarata (principal causa de cegueira no mundo) e glaucoma.

formato acessível: termo mais frequentemente usado por pessoas cegas que buscam acesso a materiais impressos. Por vezes também é chamado de "formato alternativo". Impressões padrão costumam ser publicadas em fontes tamanho dez ou doze pontos. No entanto, são inacessíveis àqueles com visão limitada ou sem visão. O ADA estabelece catorze pontos (cinco caracteres por polegada) como tamanho mínimo da fonte acessível. No entanto, outras instituições enfatizam que esse tamanho é apenas um mínimo e que uma pessoa legalmente cega pode ser capaz de ler apenas fontes maiores, começando pelo tamanho 18 pontos (quatro caracteres por polegada). Em certo tamanho (por volta de fonte tamanho 36), um documento impresso se torna praticamente inviável por conta da enorme quantidade de papel necessária. Imagine um romance, uma carta ou um relatório do governo impresso com apenas algumas poucas palavras em fonte enorme por página.

gráficos táteis: esse termo se refere às representações gráficas especialmente criadas para o uso por toque. Historicamente, esses gráficos eram preparados com uma enorme gama de ferramentas e suprimentos – cortadores de tecido, sovelas, cordas e tintas em relevo, entre outros itens. Mais recentemente, com o advento da tecnologia de computadores e impressoras sofisticados, muitos gráficos estão sendo criados com o uso de softwares e produzidos com impressoras ou papéis especiais que reagem ao calor.

impressora braille: um aparelho orientado por computador que marca os pontos do braille no papel e em outros materiais finos.

legalmente cego: a definição de cego para a maioria dos propósitos legais nos Estados Unidos é "visão que não possa ser corrigida para melhor do que 20/200 no melhor olho, ou campo visual menor ou igual a 20 graus (diâmetro)". De um ponto de vista prático, a comunidade de cegos fala em termos de "parcialidade alta", "parcialidade baixa" e "totalmente cego". Alguém com visão 20/200 pode enxergar o que uma pessoa com visão 20/20 enxerga, mas para isso tem de estar a aproximadamente 20 pés (6 metros), e não 200 pés (60 metros) de distância do objeto para vê-lo. A pessoa também deve ser capaz de usar impressões ampliadas ou lupas para ler de forma consideravelmente confortável. A fadiga ocular também pode passar a ser um problema, em muitas situações. Uma pessoa com "parcialidade alta" pode ou não usar algum tipo de ajuda (como bengala branca, cão-guia ou um guia com visão), dependendo do nível de dificuldade no deslocamento. Por exemplo, ao anoitecer ou quando já está escuro, uma bengala branca pode ser útil para perceber degraus, rampas ou relevos em geral. As pessoas com "parcialidade baixa" terão dificuldades com a maioria das impressões ampliadas e dependerão mais de ajuda para se locomover. A percepção de profundidade e de brilho pode se tornar um grande problema durante os percursos. Sua escolha de materiais será limitada a apresentações em áudio ou em braille. "Totalmente cego" significava falta de qualquer tipo de função visual. Algumas pessoas com percepção mínima da luz podem chamar a si mesmas de totalmente cegas, muito embora elas possam distinguir quando a luz está acesa em um ambiente e assustar seu colega que enxerga ao desligar a luz. Nesses casos, ajuda na mobilidade é algo comum e o uso de braille ou de áudio é essencial.

Louis Braille: inventor do braille. Na infância, ficou cego por conta de um acidente. Quando cresceu, passou a buscar uma forma escrita de comunicação que servisse para ele e também para seus amigos e familiares não cegos.

máquina de escrever braille, brailler: *brailler* se tornou um termo comum para se referir à Perkins braille writer, fabricada pela Howe Press. Essas máquinas foram o carro-chefe da produção manual de textos em braille. Ao usá-las, o dedo indicador, o médio e o anelar de cada mão são colocados nas teclas à esquerda e à direita, enquanto a barra de espaço, um pouco mais longa, permanece na parte central. Os pontos 1, 2 e 3 são criados apertando as teclas com o indicador, médio e anelar da mão esquerda. Os pontos 4, 5 e 6, por sua vez, são criados usando os mesmos dedos da mão direita. Para que você possa criar mais do que um ponto, a máquina permite pressionar as teclas simultaneamente. O papel é colocado pela parte de trás e é girado pela máquina antes de você começar a usá-la. Conforme cada linha é completada, a alimentação de papel ocorre na parte de trás da máquina.

notetaker: inicialmente apresentado pela Blazie Engineering em meados da década de 1980, esses organizadores pessoais de fácil uso permitem que uma pessoa com conhecimentos em braille crie documentos, leia textos, anote endereços e compromissos, acesse uma lista de utilitários especiais – e tudo isso quase uma década antes de as pessoas com visão terem acesso ao *palmtop* e aos computadores pessoais.

OCR (reconhecimento óptico de caracteres): processo computadorizado de identificação de padrões de pixels (como letras ou outros signos da linguagem) em um arquivo eletrônico. Os softwares mais avançados que realizam essa tarefa também podem manter o formato da página original. O OCR realizado com um pacote mais simples de software pode cometer erros de reconhecimento. Os melhores programas de OCR reconhecem possíveis erros e permitem que o operador edite o arquivo.

oftalmologia: ramo da Medicina que estuda os olhos e as doenças oftalmológicas.

optometria: a arte ou profissão de examinar os olhos em busca de defeitos ou de problemas de refração, a fim de prescrever lentes ou exercícios de correção.

perda de visão: esse termo costuma se referir à diminuição progressiva da acuidade visual. No entanto, pode também ser aplicado à perda repentina de acuidade visual ou à total cegueira repentina.

Perkins brailler: essa máquina de escrever é comumente conhecida como brailler. No início do século XX, as máquinas de escrever braille eram fabricadas pela Howe Press. Elas eram caras, barulhentas e precisavam de reparos constantes. O diretor da Perkins School for the Blind em Massachusetts na década de 1930, doutor Gabriel Farrell, queria que o Departamento de Impressão produzisse uma máquina melhor. Então, ele encontrou quem realizasse esse trabalho: David Abraham, professor do Departamento de Carpintaria. Abraham também tinha estudado e era experiente nas áreas de mecânica e desenho, além disso produziu máquinas usadas na fabricação de corrimãos para escadas. Quando doutor Farrell descobriu as habilidades de Abraham, pediu que ele projetasse uma nova máquina de escrever braille com a ajuda do doutor Edward Waterhouse, professor de Matemática. Juntos, os três definiram as especificações para a nova máquina. O protótipo da brailler foi concluído em novembro de 1939. Depois da Segunda Guerra Mundial, a sua produção teve início. Essa máquina sofreu poucas mudanças ao longo dos anos, e a versão atualmente usada ao redor do mundo é praticamente a mesma daqueles tempos.

retina: membrana sensível à luz que cobre a parede do fundo do globo ocular; é uma continuação do nervo óptico.

scanner: em termos simples, esses aparelhos eletrônicos examinam um pedaço de papel, pouco a pouco, e identificam as partes que contêm cor e espaços em branco. Em questão de segundos, a máquina envia um quadro digital composto pela página para o computador *host* e essa imagem pode ser exibida e manipulada de formas úteis. Em grandes processos de impressão, usar a imagem crua pode ser possível. O arquivo com a imagem pode ser aumentado e manipulado de modo a criar um arquivo de imagem similar em fonte maior. Entretanto, muitas vezes esse tipo de manipulação leva a problemas de espaço e de leiaute que não podem ser resolvidos até que o texto seja exportado por meio de um software OCR. Quando isso acontece, o arquivo pode ser importado para um dos muitos processadores de texto ou programas de edição de desktop para que se chegue ao fim desejado. Em braille, o software de identificação não pode usar o arquivo original, portanto, todos os arquivos devem ser exportados por meio de um pacote OCR.

síntese de fala: termo usado para se referir ao uso de um pacote de software, uma placa de som e alto-falantes para sintetizar a fala como um substituto para o monitor do computador para pessoas cegas. Em termos mais simples, o software analisa os dados no buffer de vídeo do computador e transforma o que vê em componentes de som. Em geral, o software tem um dicionário contendo muitas palavras com a pronúncia preferida para comparar os dados. O usuário pode controlar a parte da tela a ser lida ou a quantidade de pontuação a ser lida, entre outras opções. Quando recebe ordens para fazer isso, o software envia os dados para a placa de som e esses dados são transformados em voz. Além disso, há alguns dispositivos de hardware independentes que podem ser ligados a um computador para realizar a mesma tarefa.

software de transcrição: software de computador que converte documentos impressos em braille. O usuário não precisa entender braille para usar, mas pode se apoiar em regras de formação criadas pelo próprio programa para produzir braille.

tecnologias assistivas: em um sentido mais amplo, esse termo está ligado ao uso de algum tipo de ferramenta para lidar com algum tipo de limitação – cadeira de rodas, lupas, leitores de tela etc.

visão alterada: nos Estados Unidos, a definição para a maioria dos propósitos legais é "visão que não possa ser corrigida para melhor do que 20/200 no melhor olho, ou tenha campo visual menor ou igual a 20 graus (diâmetro)".

webdesign acessível: a acessibilidade na web mede o quanto é fácil acessar, ler e compreender o conteúdo de uma página na internet. A acessibilidade relaciona-se com diferentes navegadores, com diferentes plataformas, com o uso da síntese de discurso ou dos robôs de indexação, gráficos, clipes de filme e arquivos de som. Deve-se considerar muitos aspectos do site, incluindo fontes, cor, espaçamento, cores de fundo, uso de tabelas e animações.

Roselle's Dream Foundation

Equipando crianças e adultos cegos com as tecnologias de que eles precisam para viver seus sonhos

Hoje em dia, as pessoas cegas vivem em um mundo repleto de tecnologia. No entanto, como a tecnologia usada para acessar o mundo costuma custar muito caro, os cegos às vezes acabam sendo excluídos das ferramentas que os permitiriam viver uma vida mais plena e trazer suas contribuições à sociedade. É por isso que, em homenagem à minha cão-guia Roselle e à coragem, ao equilíbrio e ao trabalho em equipe que ela demonstrou em 11 de setembro de 2001, eu fundei a Roselle's Dream Foundation.

O objetivo da fundação é ajudar as crianças e os adultos cegos de hoje a terem acesso não apenas às tecnologias de que precisam para se superarem na escola e no trabalho, mas também às tecnologias de que necessitam para alcançarem seus sonhos. Eu sempre quis fazer alguma coisa para ajudar crianças cegas a terem acesso à educação e às ferramentas que elas levarão para o futuro. Também sonhava em ajudar adultos cegos a terem acesso à tecnologia para conseguirem realizar seus trabalhos e viver a vida em sua plenitude. Por meio da Roselle's Dream Foundation, quero realizar os sonhos dessas crianças e adultos.

Michael Hingson, fundador

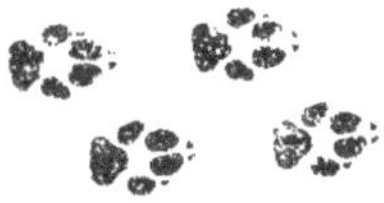

Roselle, sobrevivente do 11 de Setembro e heroína

Para descobrir como você pode ajudar a levar a tão necessária tecnologia às mãos de adultos e crianças cegos, por favor, entre em contato:

The Roselle's Dream Foundation, Inc.
www.rosellefoundation.org